世界一の美女になる
ダイエット

ミス・ユニバース・ジャパン公式栄養コンサルタント
エリカ・アンギャル
Erica Anggal

幻冬舎

Photo Gallery

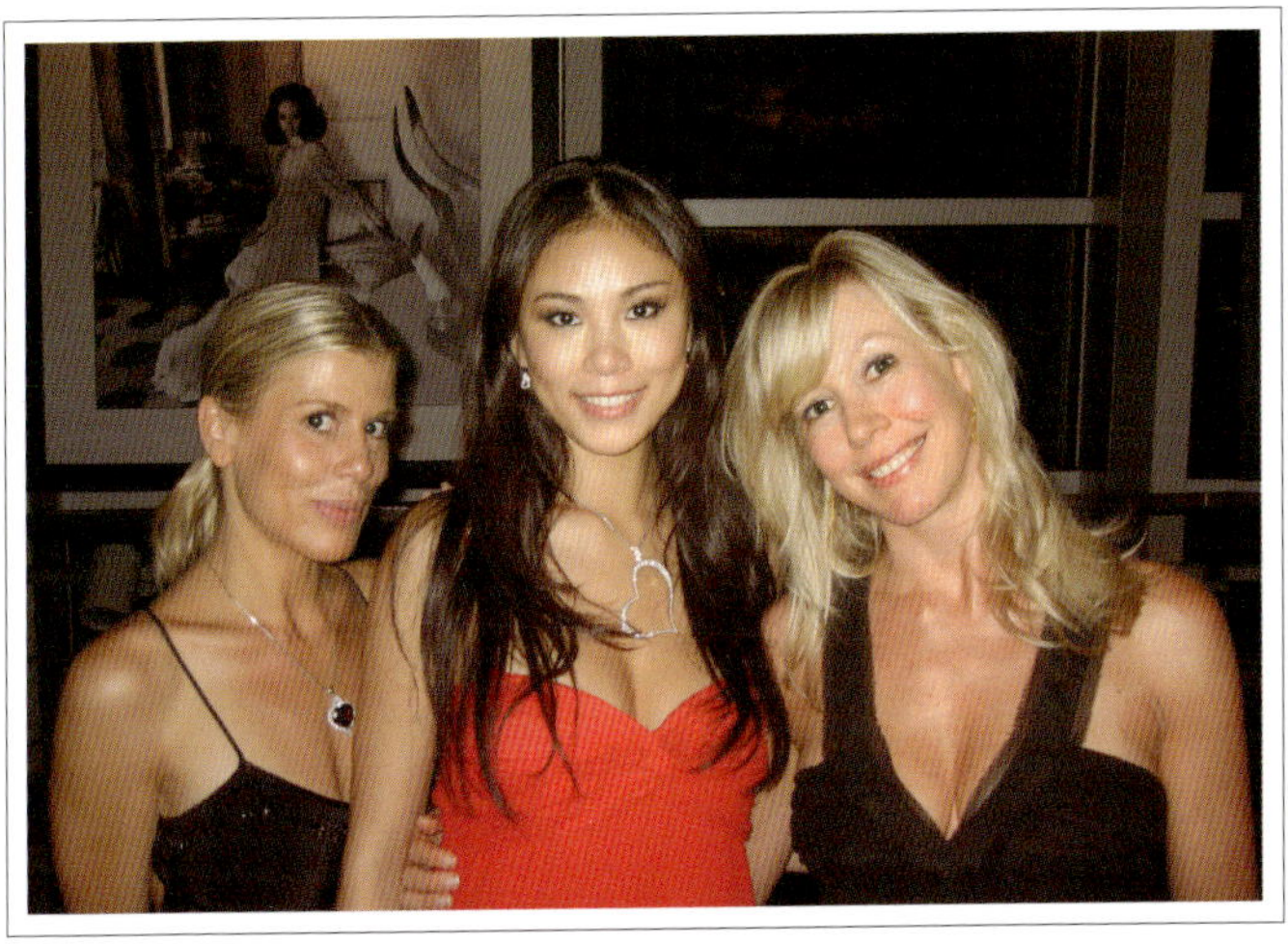

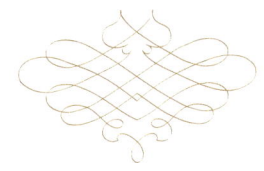

イネス・リグロン（ミス・ユニバース・ジャパン ナショナル・ディレクター 前ページ写真左）、
森理世（2007ミス・ユニバース世界大会第1位 前ページ写真中央）、
知花くらら（2006ミス・ユニバース世界大会第2位 写真左上）、
美馬寛子（2008ミス・ユニバース世界大会TOP15 入り 写真右下）らと。

世界一の美女になるダイエット

エリカ・アンギャル

はじめに

2007年の夏、1959年以来48年ぶりにミス・ユニバースで、日本代表の森理世が世界大会第一位に輝きました。06年の知花くららは世界第二位でした。日本人の美しさが世界で認められたのです。

彼女たちが世界一の美しさを手に入れた秘訣はなんだったのでしょう。

それが、あなたにも手に入れられるものだとしたら……。


私は、ミス・ユニバース・ジャパンでファイナリスト（ミス候補）たちに栄養や生活法、メンタル・マネジメントを指導しています。オーストラリア生まれの私が、縁あって日本のファイナリストたちのコンサルタントをすることになりました。そして、日本の女性たちが知らずに陥っている、美に関する多くの間違いがあると気づいたのです。

その最たるものがダイエット。

食事というと、一番気にするのはカロリー。「これを食べたら美しくなれるかしら？」という視点が抜けているように思います。朝食を抜いて、ランチはフラペチーノとベーグル。それでは身体《からだ》にいいことはひとつもありません。

ダイエットときくと、日本の女性はただやせることをイメージしがちですが、本当は違います。

ダイエットとは、賢く食べること。何を食べて、何を食べないか。

それによってあなたは美しくもなれば、美を害することにもなるのです。

世界の美女たちはもう知っています。美しくなるには、しっかり食べなくてはならないことを。

そして、始めています。美しくなる食事のとりかたを。

知らないでいては、内側から輝く、本当の美しさを手に入れることはできません。

この本で私が紹介する、ミス・ユニバース流の世界一美しいダイエットを身につければ、誰もが今よりもっときれいになれます。そして、ずっと美しく健康に、年を重ねていくことができるのです。

化粧品では手に入らない永遠の美を携えて、日本の女性にいきいきと輝いてほしい。そう思ってこの本を書きました。読み終ったあと、何かひとつでも始めてみてくださいね。1カ月後、あなたは自分の美しさに気がつくはずです。

エリカ・アンギャル

Contents

巻末付録

さあ、あなたも
世界一美しいダイエット
を身につけて！

The Beauty Diet

Transform Your Life from the Inside Out

1

「栄養の砂漠」から早く抜け出して。

私が初めて日本に滞在したのは1985年。そのときと比べると、現在の日本女性は美しくなったと感心します。この20年で日本人の生活習慣は激変しましたね。食生活の意識は高くなったのに、間違った情報に惑わされているようです。

2004年にミス・ユニバース・ジャパンの栄養指導を引き受けたときも、驚きました。ファイナリスト（ミス候補）たちは全員とても美しく、素晴らしいプロポーションをしています。しかし、実際の食事指導をすると、栄養の基本をまったく知らないのです。ダイエットは考えているけれど、美しくなるためにどんな食べものが身体《からだ》によくて、どんな食べものを食べないほうがいいのかは、わからない。カロリーのことしか考えていないので、エンプティカロリー、「栄養の砂漠」というような状態。カロリーはとっても、まったく栄養素がとれていないという末期的な状況です。お酒、お菓子、清涼飲料水、ファストフードなどがエンプティカロリーの最たるもの。それではいくら摂取カロリーを抑えても、やせる身体にはなりません。美しくいきいきとした女性になりたいなら、今すぐエンプティカロリーから抜けだしましょう。**食べものを味方につければ、誰でも今よりも美しくなれるのです**。ファイナリストたちがそうであったように。

2

いま口にしたものが、10年後のあなたを決める。

食事を抜いたり、睡眠不足だったりしても、肌やプロポーションに影響がないというあなた。若いときはDNAへのダメージが少ないため、自己修復スピードが速く、多少の無理をしても、身体にそれが表れているとは感じないでしょう。しかし、問題なのは、10年、20年経《た》ったときです。見た目にはわからなくても、身体の見えないところで細胞は傷ついています。ある日コップの水が急にあふれだすように、影響が出てくるのです。**もしも今、ファストフードばかりの食事を続けていたら、肥満になりやすいだけでなく、もっとおそろしいことにも**。コレステロールには悪いイメージがあるかもしれませんが、実はコレステロールが女性ホルモンを含むホルモンを作っています。ただ、コレステロールは油からできているので、身体に悪いトランス脂肪酸たっぷりのジャンクフードはホルモンバランスに悪影響を与えます。そのため、良質の油をとることが、美容と健康には大切なのです。

今から食習慣を変えれば、身体はこたえてくれます。未精製の炭水化物と野菜、良質な油、たんぱく質をしっかりとる、この基本を続けているだけで、身体はみずみずしいまま、美しく年を重ねていきます。**いいことも悪いことも、口から身体にとり入れたものはゆっくりと確実に結果が表れてくるのです**。

3

最強のコスメは、テーブルの上にあるわ。

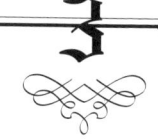

美しくなりたいという気持ちは、世界の女性に共通のもの。そのなかで、日本は世界で2番目に美容にお金をかける国といわれています。化粧品の代金のほとんどは、パッケージと広告費。本当に化粧品会社が使っている成分に効果があるのか、レチノール以外に独立したデータはありません。シワはとくに、真皮層のケアが必要ですが、表皮に塗っても真皮層にまではほとんど届かないのです。

高いお金を払う割にあまり効果の期待できない化粧品よりも、いちばんいいコスメティクス、それが食べ物です。最強のビューティツールはあなたのお箸なのです。

何を食べるかで、あなたがどんな身体になるのかが決まります。基本の栄養素が満たされていて初めて、やせやすい身体、美しい肌、やる気に満ちた心を手に入れることができるのです。せっかく毎日食事をとるのですから、できるだけゴージャスな美女になれるようにしたいもの。お腹《なか》がすいたというだけで考えずに食べることはもう卒業。食事がコスメティックツールになるように、賢い食べ方を知る必要があります。100パーセント完璧にできなくても、少しでもよいことをとり入れればいいのです。美容と栄養の知識は大きな力。いま身につければ、あなたが一生美しく健康でいられる武器になるでしょう。

4

美女の朝は一杯のグリーンカクテルで始めるの。

野菜をとったほうがいいのはわかっていても、朝はサラダを用意している時間さえ惜しいでしょう。そんなときはやっぱり、**手軽にビタミン補給できる青汁がおすすめです**。空腹のときなら、栄養分の吸収もいいので、朝いちばんに飲む習慣にしてしまいましょう。起きてすぐに水分をとると、腸の動きが活性化して便秘対策にも最適。

なかには苦い、まずいと思う青汁もあるけれど、商品によって味が違うから、口に合うものを探してみて。私もいろいろ飲み比べてみた海外のブランドでもおすすめのものがあるので、巻末（p159）を見てね。味だけでなく、何でできているのかによって、効果も少し変わります。原料ラベルもチェックして。クロロフィル入りのものは抗酸化やデトックスの効果が高いわ。

でもけっして飲みやすいものではないので、長く続けるためにはちょっとした工夫があるの。たとえば、果汁100パーセントのリンゴジュースをほんの少し加えてみて。独特のえぐみや青臭さが薄まって飲みやすくなります。青汁というネーミングもおいしくなさそうに響くから、私はグリーンカクテルと呼んでいます。**一日のスタートを美容にいいことから始めると、気分も上がりますよ。**

5

世界の美女はもう、白いものを食べるのをやめています。

ミス・ユニバースの世界大会では、パーティなどでブッフェスタイルの食事をすることがあります。各国代表の美女たちが何を食べているのか、気になりますよね。私が、目を皿のようにしてチェックすると、やっぱりねえ、と思ったわ。もう彼女たちは、白いものは口にしていませんでした。

「白いもの」とは、白米や白パンなどの精製された穀類や、白砂糖のこと。世界の美女は、ご飯なら玄米や雑穀米、パンなら全粒粉やライ麦を使った茶色いもの、糖類は黒砂糖やはちみつを選んでいるの。なぜそうするかといえば、それはもちろん美容のため。**精製されたものは食物繊維や栄養素が抜けていて、血糖値が上昇しやすいのです。急に上がると下がりやすく、その変動が、太りやすさ、シワ、シミといった老化の体内時計を早めます**。漠然と、雑穀米を選んでいたかもしれないけれど、これからはアンチエイジングのためのマストアイテムと心得てください。茶色いものは、美しくなれる食べものの代表選手の一つ。

ただ外食など、どうしても白い穀類しか食べられない状況もありますよね。そういうときは、つけ合わせをひと工夫して。食物繊維たっぷりの野菜やお酢を一緒にとると、急激な血糖値の上昇を防ぎます。

6

「サラダはヘルシー」だなんて
単純な思い込みね。

ランチなどで、セットについているような小さなサラダを食べる機会は多いでしょう。でも、「サラダを食べたから健康的」と思っているとしたら、それは単純すぎますね。

たとえば、マヨネーズたっぷりのポテトサラダ。残念だけど、じゃがいもには、野菜でとりたい栄養分の「抗酸化成分」がほとんど入っていません。ヘルシーと思って食べたサラダで、酸化した油とカロリーだけをとってしまうことになり、美を阻む結果に。薄い色のレタスばかりしか入っていないようなサラダも、抗酸化は期待できません。そんなサラダを食べるくらいなら、**同じように油を使っていてカロリーが高くても、きんぴらごぼうのほうがいいのです**。サラダだからヘルシーなのではなくて、どんなサラダを、野菜を食べるかが大事です。そのサラダに必ず加えてほしいのが、ツナやチキンなどのたんぱく質。「野菜だけとればヘルシー」ということではないのも覚えておいてね。

また、市販のサラダドレッシングには、質のよくない精製油が入っていることもあるので、美容のためにはできれば控えたほうがいいわ。エクストラバージン・オリーブオイルにレモン汁を搾ったり、バルサミコ酢やワインビネガーを混ぜたりすれば、簡単においしいお手製ドレッシングができるので、試してみて。

7

美女に必要なのは、濃い野菜。

単純に野菜を食べていればいいわけではないことを前項で書いたけれど、じゃあどんな野菜を食べればいいの、と思いますよね。野菜が身体にいい理由は、いろいろありますが、最近の研究で注目されているのが、野菜の持っている「抗酸化成分」。「フィト（ファイト）ケミカル」ともいいます。トマトの「リコピン」、ブドウの「ポリフェノール」などという言葉を聞いたことがありませんか？　これらが「抗酸化成分」で、身体がさびて古くなってしまうのを防いでくれるのです。**アンチエイジングや美白といった、美容の観点から考えると、野菜をとる必要は抗酸化成分にあり**、といっても過言ではありません。

しかし、いちいちどの野菜にどの抗酸化成分が入っているか、などと考えるのは大変ですよね。簡単な方法は、**七色の虹のように、色とりどり、色の濃い野菜を選ぶということ**。たとえば、赤はトマト、赤ピーマン、オレンジはにんじん、かぼちゃ、緑はほうれん草、ブロッコリー、白は玉ねぎ、カリフラワー、紫はナス、プルーンといった具合。目に美しいというだけでなく、色によって含まれる成分が違い、色鮮やかであるほど抗酸化成分が多いのです。毎食、色とりどりにするのは難しいかもしれませんから、一日トータルで考えて、「レインボーカラー」のお皿を目指しましょう。

8

日本人はフルーツが足りなさすぎるわ。

今週あなたは、どのぐらいフルーツを食べましたか？　すぐに思い出せないくらい食べてないとしたら、要注意。ファイナリストたちの食事内容を見てもそうでしたが、日本人はフルーツを食べる量が外国人と比べて少ないようですね。

フルーツは甘いから、太ると思って我慢していましたか？　一日200グラムほど、リンゴ1個、ミカン2個くらいをとる分には、太るということはありません。白い砂糖を食べるくらいなら、フルーツの果糖のほうが身体にはいいのです。

甘くてみずみずしいフルーツは、美にとっていいことずくめ。食物繊維がたっぷりで、野菜と同じく、抗酸化成分が入っています。とくにブルーベリーにはアントシアニンという抗酸化作用の高い物質が。それに加えて、**フルーツは代謝や消化を促す「酵素」という物質が多く**、「酵素」は熱に弱いので、生で食べられるフルーツでとるのがいちばん。また、美をサポートしてくれるビタミン類も豊富。それなのに、フルーツを食べないなんて、美人になる機会を自分から手放しているようなもの。フルーツにヨーグルトとナッツをかけた朝食は、最高の取り合わせ。小腹がすいて甘いものがほしくなったときにも、フルーツを数カット。毎日おいしいフルーツをたっぷり食べましょう。

9

買い物で迷ったら
美人効果の高いトマトとベリーを。

スーパーでゆっくり買い物をする、丁寧に料理をする時間もないほどに忙しいこともあるでしょう。野菜やフルーツが美容に大切とわかっていても、レパートリーがないという人もいますよね。できるだけ簡単にしないと、続けることがストレスになってしまいます。そもそも一人暮らしの場合、たくさんの種類の野菜を買うと使い切るのが難しいでしょう。一つだけ、野菜やフルーツを買うとしたら、万能なのは、トマトとブルーベリーなどのベリー類です。

トマトは切るだけで食べられて、抗酸化物質がたっぷり。加熱するにしても短時間ですみ、料理の幅が広がります。イタリアン風に煮込めば、肉や魚とワンディッシュにすることもできますよ。中華風に炒め物やスープにしてもおいしいですね。日もちを考えると、トマトの水煮缶でもいいでしょう。

フルーツは、抗酸化効果が高いベリー類がおすすめです。**アントシアニンたっぷりのブルーベリーはヨーグルトにナッツと入れたり、豆乳とスムージーにしたりして、朝食に**。最近は冷凍のものも手に入りやすいので、一人暮らしの人も食べきるのに困りません。有機栽培のものなら、リンゴを皮ごと食べるのも美人効果が高くなります。

10

有機で食べたほうがいいのはブロッコリーと小松菜。

せっかく身体のためにと食べている野菜が、実は身体に悪影響を及ぼす可能性があるとしたら、がっかりですよね。問題は、野菜に含まれる残留農薬です。これは活性酸素、つまり、身体を老化させる物質を生み、もともと野菜が持っている抗酸化物質の働きを阻害します。

化学肥料を使わないで作られた、有機栽培の野菜をとれば、その心配はいりません。

丸ごとの野菜以外にも、米、醤油、味噌、豆腐、納豆、豆乳、栗などの加工品にも有機栽培の原料を使用しているものがあります。有機ＪＡＳマークが目印です。

しかし、有機栽培の野菜が手に入りにくかったり、高くて予算に合わなかったりする人もいるでしょう。普通の野菜を使うときは、**農薬が残留しやすい皮の周辺部を厚めにむいたり、重曹を使ってよく洗うようにしましょう。旬の野菜は比較的農薬の散布が少ないのでおすすめです**。

ただし、害虫に弱い野菜、ブロッコリーや小松菜などは農薬がたくさん散布されていることが多いので、できるだけ有機栽培のものを購入しましょう。有機栽培の野菜の宅配が申し込める業者もあるので、うまく活用しましょう。

11

残念だけど、
日本人には乳製品をおすすめしないわ。

日本では小さなときから、牛乳は身体にいいと教えられてきたようだけれど、一概にそうともいえないの。約9割の日本人は、小腸でラクターゼ（乳糖分解酵素）を十分に作れないと推定されており、牛乳や乳製品をうまく消化できないのです。人によってはお腹がゴロゴロしたり、ガスがたまったりするほか、アレルギーの原因にもなっているのです。牛乳はカルシウムたっぷりだから、女性に多い骨粗しょう症にもいいのではと思っていた人もいるでしょう。でも、骨粗しょう症発症率の高い国には、アメリカ、イギリス、スウェーデンなどがあり、いずれも牛乳をたくさん消費する国々です。意外かもしれませんが、**乳製品は、カルシウムをとるのに必ずしもベストな食品ではないのです。**

しかし、カルシウムが骨や筋肉に必要な栄養であることに変わりはありません。別の食品で賢くとりましょうね。柔らかい骨がそのまま残った、魚の缶詰（イワシ、アンチョビ、鮭）、濃い緑の葉物野菜、豆腐や納豆、ヒジキやワカメなどの海藻、ドライイチジク、ゴマなどがおすすめです。ヨーグルトは醱酵《はっこう》していて、吸収しやすくなっているので、積極的に食べても大丈夫。牛乳が好きな人も、毎日ではなくときどきにして、カフェオレぐらいの量にしておいたほうがいいですよ。

12

美女と卵の切れない関係。

最近は「コレステロールが気になる方に」などという食品が増えていますね。若い女性ややせている人でもコレステロール値が高い人がいますから、気になっている人も多いでしょう。そういう人からよく聞くのは、「コレステロール値が気になるから、卵は食べない」という発言。あなたの周りにもそういう人がいませんか。今すぐ教えてあげてください、それは間違っています！

卵を食べたら、コレステロール値が上昇するというのは誤解です。最近の研究によると、一日2個の卵の摂取を毎日続けても、脂肪やコレステロール値に影響を及ぼさないとの結果が示され、逆に改善するかもしれないといわれています。

料理の仕方が簡単で、手に入りやすい卵は美容の強力な味方です。肌や筋肉のもとになる優秀なたんぱく質がたっぷり、美肌と眼に効く抗酸化成分を含む、すこやかな髪や爪を作るのに役立つビタミン・ミネラルが豊富、といいことずくめ。朝食に卵を二つ食べ続けたら、体重が減ったとのデータもあります。卵はゴージャス美女に欠かせない食品と心得て。できるだけ「放し飼い」か「オーガニック」の卵を選んでくださいね。

13

日本の女性たちよ、アーモンドの実力をもっと知って。

最近の研究によると、アーモンドを食べると、ダイエットを後押ししてくれるとの驚きのデータがあります。ある実験では、アーモンドを摂取したグループは、しなかったグループに比べて62パーセント多く減量でき、56パーセントも体脂肪率が減ったの。アーモンドを摂取したグループは、ウエストサイズ減と、血圧低下も見られました。

なぜダイエットに効果があるのでしょう。それは、アーモンドを食べると、少量で満足感が得られ、腹持ちがよいため、その後の間食が減るからです。**アーモンドに含まれる良質の油が、食後2、3時間も血糖値を安定させます。それにより、体内が脂肪を蓄えるのではなく、カロリー燃焼へとシフト**。甘いものやスナック類を欲しなくなります。繊維質も豊富で、カロリー吸収や脂肪吸収を阻止。栄養もギッシリで天然のサプリメントともいわれます。

また、アーモンドを摂取すると血行がよくなり、心臓にもお肌にもいい効果が見られます。心臓病を予防する役割を果たす強力な抗酸化物質や、アルギニンというアミノ酸が血管を拡張する働きにより、血流促進につながるのです。アーモンドだけでなく、クルミなどほかのナッツでも同様の効果があります。買うときは必ず、原材料名を見て、油や食塩で調味をしていないものを購入しましょう。

14

意識して「生のもの」を食べましょう。

「サラダだったら何でもヘルシー」と思うのは間違いだと前にいいましたね。でもそれは「サラダは食べなくてもいい」ということではありません。野菜を生で食べることに、大事な意味があるのです。最近欧米では、「リビングフード」「ローフード」などといわれる食のスタイルを実践している人がいます。「リビング」「ロー」とは生のことで、フルーツや生野菜のサラダ、お刺身のように、食材を加熱しないで食べることを表しています。どうして生で食べるといいのかというと、「酵素」という成分が吸収できるからです。

「酵素」とはあらゆる食材に含まれ、消化や新陳代謝などの働きを促してくれるもの。ビタミン、ミネラルと同様に美容や健康に大切な働きをします。ですが、48度以上に加熱すると「酵素」は死んでしまいます。ですから、**生で食べることのできる食材は、加熱せず「酵素」ごと食べましょう。食事の最初に食べるのがおすすめ**。もちろん、食事全部を生のものにしなければ、ということではありません。生野菜ばかりでは量がとれませんし、温かいものので代謝を上げることも必要。生のものと加熱したもの、両方あるのが理想的ですね。ただし、夜は生ものを控えて。冬や冷え性の方には一年中、加熱したものを多めにとることをおすすめします。

15

水のとり方が美を左右する。

日本の女性はむくみを気にしている人が多いようですね。確かにむくみは美の大敵。でも、むくむからといって水を飲むのを控えているのは、大きなミステイクです。そのむくみは本当に水の飲みすぎが原因なのでしょうか。

美しくなりたいなら、水分はとったほうがいいのは欧米では常識。日本女性はまだまだ足りない人が多いと思います。一度に大量に飲んでも吸収できないので、**こまめにとることが大事です**。

お水を飲むのがいちばんいいけれど、飲み飽きてしまうなら、レモンをしぼってみたり、果汁100パーセントのリンゴジュースをほんの少し混ぜたりすると、飲みやすくなりますよ。レモン水は身体をアルカリ性にしてくれます。緑茶やハーブティーなどカフェインの少ないもの、甘味料の入っていないジュースでもいいでしょう。

どうしてもむくむ人は、血行の悪さが考えられます。あるいは、**筋肉が足りず代謝が滞っているか、塩分や糖分のとりすぎが原因です**。ウォーキングなどの軽い有酸素運動をして、代謝を上げましょう。また、アロマオイルを使ったリンパマッサージも有効。水分がいきわたって、身体の内側から磨き上げてくれますよ。

16

肌はあなたの内臓そのものよ。

ニキビやシミといった肌トラブルがあると、それだけで気分が沈みますね。顔の印象を大きく左右するものが肌。年を重ねればなおのこと、きちんと手入れをしているかどうかで、女性としての品格を問われるようになります。

しかし肌は、身体を包む単なるラッピングのようなものではなく、内臓の鏡です。**肌に出てくることは、身体の中で起こっていることなのです**。基礎化粧品でのお手入れは、死んでいるいちばん上の細胞にしかほとんど届いていません。本当に肌をきれいにしたければ、真皮層からのケアが必要で、食べものから栄養をとるしかないのです。

30日かけてじっくりと栄養を吸収し、美しさを内側から作る。ゆっくりできあがった肌の調子はそう簡単に崩れないようになっていきます。**高い美容液やクリームを使うくらいなら、三食バランスを考えて食べたほうがよほどいいのです**。そして、**「何を食べないか」もとても大切です**。美しくなりたい人は、オメガ3オイルをたくさんとり、肌トラブルや細胞老化の元凶ともいわれるトランス脂肪酸、オメガ6オイルを減らすように努力しましょう。ただし、いい栄養をとっても、ストレスや睡眠不足では老化が早まります。美肌を気にかけて、質のいい食事をとると、ボーナスとして内臓もきれいになりますよ。

17

油抜きしている人、今すぐやめて!

無理なダイエットをして、肌がガサガサになった経験はありませんか。また乾燥肌やオイリー肌でお悩みなら、食事による内側からのケアを見直してみましょう。水分をたっぷりとるのも大事ですが、美肌に欠かせないのは、良質のオイル。そう、油には、肌にいい油と悪い油があるのです。おすすめは、アーモンドやアボカド、オリーブオイルの植物性の油（オメガ9）と青魚などの脂分（オメガ3）。悪い油の最たるものはほとんどの加工食品に含まれるトランス脂肪酸。お肉や乳製品などの動物性脂肪もとりすぎると肌トラブルの原因になりますが、植物性の油や魚の脂は細胞膜を柔らかくして、しっとりと潤った肌に。オリーブオイルなら、一日大さじ1〜2杯ぐらい。ハリや弾力感が出て、水分だけでは叶わないモチ肌に導いてくれます。

良質のオイルによる美肌効果は、潤いだけでなく、食事でとった栄養分が浸透しやすくなり、くすみが消えて透明感がアップするなど、たくさんあります。ファイナリストたちも、初めは「オイルなんてとったら、ニキビになりそう」と言っていましたが、それは大間違い。だまされたと思って、まずは1週間続けてみて。簡単なのに効果が見えやすいから、ファイナリストたちもずっと続けてくれていますよ（「美女になる油のとり方」p157）。

18

ベーグルとフラペチーノがランチだなんて、
悲しくなるわ。

美容やダイエットに気をつけている人ほど、陥りがちな痛いミス。それは、カロリーを気にして、お肉や魚を食べないというもの。カフェやレストランでも、ベーグルと軽いサラダに、フラペチーノなんて食事をしているファッショナブルな女性が多いわね。でも、そんな彼女たちを見るたびに悲しくなるの。せっかく努力しているのに、それじゃあ、いくらやってもきれいになれないわ、そう声を掛けたくなってしまいます。

髪や肌はたんぱく質からできていますよね。肉や魚はたんぱく質のいちばんの供給源です。補給する材料がなくては、新しくきれいな肌や髪は生まれてきません。

ダイエットに必要な、脂肪を燃やしてくれる筋肉もたんぱく質からできています。**たんぱく質が不足すると、筋肉量が減ってきて、ますます燃えにくい身体、つまり太りやすい身体になるのです**。筋肉量や骨量が減るというのは、アンチエイジングの観点からも放ってはおけません。**冷えに悩んでいる人も、たんぱく質の不足が考えられます**。筋肉が熱を生むので、不足が冷えにつながるのです。

ゴージャスな美女を目指すなら、最低でも一食につき、手のひらにのるぐらいの分量の肉や魚をとりましょう。もちろん卵や、豆腐や納豆など植物性のたんぱく質でもＧＯＯＤです。

19

アボカドは食べる美容液よ。

アボカドが「森のバター」といわれることは、日本でも知られるようになりましたね。バターと聞くと、カロリーが高いからとらないほうがいいかな、などと思ったことがあるかもしれません。しかし**アボカドは、美しくなりたかったらはずすことのできないスーパーフードなのです**。わさび醤油をかけて食べると、トロの刺身のようだといわれますが、その油分はオメガ9という良質なオイル。肌をふっくらと柔らかくする効果などがあり、どんどんとったほうがいいのです。また、ビタミンEが豊富なので、末端まで血行がよくなります。血行不良は女性にとって大敵です。冷え性が改善され、栄養が運ばれると、肌や髪の透明感と艶がアップします。そして、フルーツのアボカドは酵素をたっぷり含んでいるので、身体の働きを補ってくれます。食物繊維も豊富なので、腸内美化にも効果的。腸がきれいだと、免疫力がアップして健康にもいいのです。

食べる美容液ともいうべきアボカドですが、一回に半分ほどで十分効果があります。魚介類とサラダにしたり、おろしニンニク、刻んだトマトとディップにしたりと、お料理のレパートリーを増やして、食卓の定番にしましょう。トーストした全粒ライ麦パンに、マッシュしたアボカドをのせ、オリーブオイルと塩コショウでいただくのも美人レシピよ。

20

何を食べるか・食べないかで、シワやシミの数に差ができる。

シミができるいちばんの理由は紫外線だということは、もうみなさんご存知よね。日に当たらない生活ができればいいけれど、それは無理というもの。もともと肌は、もっている機能が働いていればメラニンの沈着は起こらないようにできています。メラニンの沈着を防ぐために、**化粧品より効果的なのが、抗酸化成分の入った食べものをしっかりとることです**。トマトのリコピン、にんじんのベータカロチンなど抗酸化物質は、強い紫外線から作物自身が自分の身を守るためにあるもの。だから、人がとっても紫外線に対抗してくれる力が強くなるというわけ。たっぷりとると、血中の抗酸化力が10〜25パーセントもアップ。美容に効果絶大です。同じ環境で暮らしていても、食べるもので、シミだらけの人とシミのない人とに分かれるのだとしたら、一食たりともおろそかにしたくないでしょう。同じことがシワにもいえます。良質な油分やたんぱく質をとっていると、シワができにくいのです。

いいものをとることで、シワやシミを防ぐことができますが、もっと有効で大事なのは、シワやシミの原因を作るものを食べないということ。**白い砂糖や精製された穀物、そしてトランス脂肪酸のとりすぎが老化の速度を上げて、シワやシミを作ります**。長い目で見ると、「何を食べないか」のほうが、肌の美しさに大きな差となって現れてくるのです。

21

白砂糖の魔力は、麻薬なみに危ないわ。

お酒やタバコの過剰摂取が健康にどのようによくないのかは知っていますよね。では、砂糖のとりすぎはどうでしょう。「太りすぎるぐらいまでいかなければ、どうってことない」なんて思っていませんか。残念ながら、それがそうでもないのです。

白い砂糖は想像以上に、美容と健康に害をもたらします。太りやすさ、肌トラブル、老化の加速、どれも砂糖が関係してくるのです。

血糖値が急激に上がると、インスリンという物質が出やすくなります。上がった血糖値はすぐ落ちやすく、また何か食べたくなるという悪循環を生み、太りやすい身体に。また、筋肉の内部では塩分と同じように水分を引き寄せて、むくみの原因に。最近日に焼けていないのに、シミができるという人は、砂糖のとりすぎかもしれません。砂糖が体内でたんぱく質と結びつけば、シワの原因にも。怖いことに、砂糖の中毒性はとても強いのです。猿を用いた実験で、砂糖と麻薬の中毒性を調べたところ、砂糖のほうがずっと強かったという結果が。白砂糖やグラニュー糖など**精製された砂糖をとり続けると、身体がどんどん甘いものをほしくなってしまうのです**。しかし、女性はホルモンの影響で、甘いものがどうしても食べたくなるもの。我慢せず、甘いものとうまく付き合うコツを覚えましょう。

22

美女のおやつは、ダークチョコレート。

甘いものは日々を豊かにしてくれるもの。だから甘いものはダメ！　なんて無理はいいません。ヘルシーな間食法を身につければ、甘いものをとりながら、ゴージャスな美女でいられます。

何か甘いものを食べたいと思ったときは、ドライフルーツとカカオ70パーセント以上のダークチョコレートを。どちらも抗酸化物質と食物繊維が豊富で、血糖値も上がりにくいものです。ナッツとドライフルーツの組み合わせは腹もちもいいので、おすすめです。**不思議なことに、カカオのたくさん入ったダークチョコやドライフルーツは、山ほど食べなくても満足感が得やすいの。**理世たちにも、常に携帯しておくように言ってあります。ほしくなったときに、手に入らないと、よくないもので間に合わせることになるものね。次におすすめなのは、フルーツやさつまいも、栗。これらも抗酸化物質と食物繊維が豊富。栗にはたんぱく質も入っているから、なおのこと血糖値が上がりにくいの。

どうしても、ショートケーキのようなものが食べたいと思ったら、たまに食べる程度に。80パーセントは頑張って、20パーセントは息抜きしないと何事も続きませんよね。ただし、食後すぐに食べるか、血糖値上昇を防ぐ効果のあるアーモンドを5粒くらい食べてからよ。

23

冷えた女性に美女はいないわね。

日本の女性は冷えている人が多いわね。欧米人に比べて、筋肉量が少ないことも関係していると思います。冷えは美容の大敵です。くららも悩んでいたから、真っ先に治すようにしてもらいました。せっかくいい食事で栄養分をとっても、血行不良になれば、肌までしっかり届かず、無駄になってしまうことに。ダイエットでも、**冷えた身体では脂肪が燃えません。**

冷えの改善には、まずたんぱく質をきちんととること。筋肉がつくだけでなく、たんぱく質を消化するときに熱を生む効果もあります。また冷えに効果抜群なのは、生姜《しょうが》！ 紅茶やスープなど、飲み物に入れて手軽にとれますよ。とくに朝食で温めた食材をとると、一日体温の上がった状態で活動できます。

血液の流れをよくするのも大切。良質なオイルも血行促進にマスト。また適度なエクササイズで十分なので、毎日続けましょう。一日の終わりに床に寝て、壁に足を垂直にもたせかけて、10分ほどリラックスするのもおすすめ。むくみにも効くポーズです。私は、ブラシを使ったボディマッサージやミニトランポリンを使ったエクササイズで、全身の血行をよくしています。また温冷シャワー療法もＧＯＯＤ。熱いシャワーと冷たいシャワーを交互に足へ5セット。リンパの流れもよくなって、滞った老廃物も流してくれるでしょう。

24

美しさの品格は、髪先、指先に表れる。

女性は、先端の手入れが行き届いているかどうかで、美しさの格が違ってくるもの。髪や爪に艶があると、女性らしさが感じられますよね。欧米人はアジア人の艶のある黒髪に憧れています。しかし、最近は髪の悩みを耳にすることが多くなっていて、同じ女性としてつらいなあと思います。ストレスのかかる環境や不規則な生活のせいでしょう。食事を改善することで、ちゃんと艶めきをとり戻せるから、安心してくださいね。

まずは卵など、髪や爪の原材料である、良質なたんぱく質をしっかりとることが基本。次にとるべきは、あまりなじみがないかもしれませんが、ミネラルの亜鉛です。牡蠣《かき》、アボカド、舞茸、焼き海苔などに入っています。牡蠣ならたんぱく質も一緒にとれます。間食のともに手軽にとれるのは、カボチャの種。ナッツやドライフルーツの売り場にありますよ。また、亜鉛をとると味覚がシャープになって薄味でも満足できるようになるのです。

白髪に効果的なのは、ゴマです。末端まで血液を運びやすくするビタミンEと、老化に効く抗酸化物質がたっぷり。外皮が硬く吸収しにくいので、練りゴマやすったものを食べるようにしてください。髪は皮膚よりもさらに末端なので、結果を感じにくいかもしれませんが、焦らず続けてくださいね。

25

食後のサプリメントで
美をサポートしてもらいましょう。

栄養素は食事からとったほうがいいというのは大原則。しかし40年前に比べると、野菜に含まれる栄養素は、なんと半分になっています。倍の量を食べられるほど、私たちの身体は変化していないので、サプリメントでうまく補給していく必要があります。

サプリメントをとるタイミングは、食事のあとがベストです。コエンザイムQ10などのように油分がないと吸収しないようなものがあるので、食事の中の油分と結びつくよう食後にとります。**「朝ごはんはサプリメントとコーヒーだけ」などというのは効果が半減しますよ。**サプリメントの材料にも気を配りましょう。原材料をチェックして、糖分を含んでいないものを選びましょう。

どんなサプリメントがいいか、一概にはいえないのですが、ひとつおすすめするとしたら、DHA／EPA。青魚に含まれる油分で脳のアンチエイジング用として知られていますが、オメガ3系の油分なのです。食事でとるのがいちばんですが、不足しがちなので、サプリメントで補いましょう。私はこのほかに、マルチビタミンをとっています。風邪をひいたときは免疫力を高めてくれるビタミンC、エキネシア、オリーブ葉エキスを。口内炎や吹き出物ができたときなどはビタミンBを加えています（おすすめサプリメントはp159）。

26

太らないためにもいい油が必要なの。

油は、美しくなれる油と美を害する油の2種類に分けられると前にもいいました。大きく分けると、**「植物性の油分と魚の脂肪」はOK、トランス脂肪酸は完全アウト、「肉や乳製品に含まれる動物性脂肪」はNG**となります。良質な油分が足りないと、細胞膜が硬くなり、栄養の吸収が阻まれ、身体の働きが悪くなります。いい油をとることで体内の炎症を抑え、老化を防止し、太るのを防ぎます。やせるのに気にすべきはカロリーだけではありません。

厄介なのは、植物の油。なんでもいいわけではないのです。ここまでにも何度か出てますが、あらためて説明しますね。油分は「オメガ3」「オメガ6」と「オメガ9」に分けられます。「必須脂肪酸」といわれる、オメガ3とオメガ6をバランスよくとる必要があります。オメガ6はサラダ油など普通の食事で多すぎるほどとっているので逆に控えめを心がけ、オメガ3を意識して増やさなければなりません。オメガ3はイワシなどの青魚と鮭、マグロ、ブリなどの寒流の魚の脂、植物油なら、亜麻仁油（フラックスシードオイル）、クルミなどに含まれます。亜麻仁油は加熱に弱いので、サラダのドレッシングなど生で使って。オリーブオイル、アボカド、アーモンドなどに含まれるオメガ9は、悪玉コレステロールを減らす一方、善玉コレステロールを増やし、美肌効果も高いのでできるだけとりましょう。

27

食事を抜いて、ガマンして、
何かいいことあった?

やせようとしてカロリーを抑えるために、食事を抜いたりしていませんか。残念ながら、それは正しい努力といえません。ファイナリストに選ばれた美女たちも同じ間違いをしていましたが、それではかえって太りやすい身体を作ってしまうのです。

お腹が長時間空っぽになってしまうと、次に食事をとったとき、身体が食べたものを脂肪にかえてため込もうとします。同じものを食べたとしても、太りやすくなるのです。また、**あまりに食事の量を減らすと、燃費の悪い身体、つまり、脂肪の燃えない身体になってしまい、燃えない分は脂肪としてストックされてしまいます**。ため込まず、燃えやすい身体が、ダイエット向きの身体です。できれば毎日規則正しく三食とれるといいのですが、そうとばかりはいきませんよね。朝食だけは少し頑張ってみましょう。朝こそ、食べて燃えやすい身体作りに最適。炭水化物とたんぱく質、それにほんの少しの油分が入ればパーフェクト。油分とたんぱく質で、満足度がアップして、たくさん食べなくても腹もちがよくなります。伝統的な和食のほか、ナッツとフルーツを入れたヨーグルトや、オートミールなどの炭水化物、フルーツに豆乳をかけるメニューがおすすめです。美容のためにも、白いパンにジャムなんていうのはもう卒業です。

28

カロリーだけでは真実は見えてこない。

カロリーを気にして食事を選ぶという人は、美女になる資質はもっているよう。では、うどんとお蕎麦、カロリーが高いのは、太りやすいのはどちらですか。

太らない、老けない身体には、カロリーだけでなく、血糖値のコントロールが大事です。血糖値が上がると、インスリンが出て、太りやすくなったり、血管を傷つけたりします。急に上がったものは急に落ちるので、血糖値を上げるべく、またお腹がへるのです。血糖値の上がりやすさを表す数値を「GI値」といい、値の低いものほど血糖値を上げず、高いものは血糖値を上げます。精製された穀物や砂糖は、未精製のものに比べGI値がぐっと高くなります。精製された小麦粉はそば粉よりGI値が高い。つまり、うどんはそばに比べて、同じ量ならカロリーは低いのですが、高GI値なので、うどんのほうが太りやすいのです。カロリーだけでは真実が見えないの。**低GI食品を心がけることも美女の秘訣と覚えておいて。**

野菜は多くが低GI食品ですが、にんじん、かぼちゃ、いも類などはGI値が高め。砂糖より、メープルシロップやはちみつが低GI。リュウゼツランという植物から採れるアガベシロップが、いちばんGI値が低い甘味料です。GI値の高いものを食べるときは、良質の油を含むアーモンドや、お酢やレモンを一緒にとると少し緩和できます。

29

炭水化物抜きでは ゴージャスな美女になれません。

炭水化物抜きダイエット、糖質制限ダイエットなどは、日本だけでなく欧米でも流行《はや》りました。ご飯やパスタ、パンを食べなければ、他のものはいくらでも食べてよい、というものです。あなたのまわりでトライした人はいますか？　見た目がやせた人はいるかもしれませんが、その人は健康で美しいままですか？

確かに、白い砂糖や精製された穀類をどんどん食べることは、血糖値を急激に上げるので、ダイエットや美容の敵です。しかし、一切炭水化物をとらないというのは、とてもおすすめできるやり方ではありません。満足感を得られないことで、食べすぎてしまいます。普通十分な炭水化物を食べると、セロトニンという化学物質が脳から分泌され、食後に満腹感を得られます。加えて、とくに未精製のものなら、ビタミンやミネラルと食物繊維を含み、身体の機能を上げてくれるので、ダイエットや美肌の効果が上がります。また、炭水化物をとらない分、たんぱく質をたくさんとることになると、消化・吸収に負担がかかるのです。そうすると、多くの酵素やビタミンを使ってしまうことになり、肌まで行き届かなくなりますね。**精製していない炭水化物を適量とり、満足感を得ながらバランスよく食べることが、ダイエットと美容への近道ですよ**（適量の目安はｐ１４９）。

30

低脂肪・無脂肪ならやせるというのは大きな誤解。

ここ数年で、低脂肪や無脂肪、砂糖ゼロなどという乳製品やお菓子、飲料が増えてきましたね。どうせ食べるなら、太らないものがいいと、そういう商品を選んでいませんか。残念ながら、低脂肪・無脂肪、砂糖ゼロのものをとればやせるとはかぎらないのです。それどころか、かえって太ってしまうことさえあります。この疑問を解く鍵は、低脂肪・無脂肪とは、即ちローカロリーというわけではないことにあります。

そういう商品の原材料表を見てみましょう。大抵において、砂糖や人工甘味料が多く含まれており、脂肪無調整の通常のタイプと比べて、同じカロリーの食品もまあります。また、カロリーが低い場合でも、低脂肪・無脂肪の食品は、食べても満足感が得られないことも多く、ついもっと食べてしまうということも。少量の脂肪や良質の炭水化物は満足感を与え、食べすぎることはありません。研究によると、**アスパルテームや他の人工甘味料は、食後満足感を与える化学物質を脳が分泌することを阻止してしまいます。つまり、満腹感を得られず、結果としてもっと食べてしまう**。アスパルテームを含む食品をさらに摂取し、この悪循環が続いてしまうことに。カロリーやＣＭに振り回されずに、原材料をチェックして、賢く商品を選びましょう。

31

ソフトドリンクは見えない砂糖の塊です。

コンビニエンスストアには、季節ごとに魅力的な新商品が並びますね。見たことのない商品を見つけると、つい試してみたくなってしまうもの。カロリーオフやシュガーレスの飲み物ならカロリーだって少ないし……なんて、無意識に手にとってレジに向かっていませんか。その飲み物の原材料を見てください。いちばん最初に、砂糖やブドウ糖と書いてありませんか。

原材料は、もっとも多く入っているものから書かれます。冷たいと甘さをあまり感じないので、それほど砂糖が使われていないように思うかもしれませんが、感じる甘さと使われる砂糖の量には開きがあるのです。**500㎖のスポーツドリンク1本に、スティックシュガー3本ぶんぐらいの砂糖が使われています。コーラ350㎖には、なんと大さじ10杯も！** もちろん使われているのは白い砂糖ばかり。液体になって吸収がよい砂糖が血糖値を急激に上げていく、ジェットコースターが目に見えるようです。では、カロリーオフ、シュガーレスのものならいいかというと、もっと良くない場合があります。人工甘味料が化学的なものはNG、ステビアなどの植物由来のものは○です。飲み物を買うときはお水かお茶に。ミス・ユニバースの各国代表も緑茶を飲んでいるほど、いいものが日本にはあるのですから。

32

そもそも本当にあなたはダイエットが必要？
客観的にスタイルを眺めてみて。

あなたがやせよう、ダイエットしようとしているのは、どうしてかしら。単純に、体重や洋服のサイズでダイエットすることを決めたとしたら、あなたの考えはちょっとオールドファッションね。

たとえば、肥満の基準を測るBMI値。体重だけより正確そうに思えるけど、脂肪より筋肉のほうが重いから、筋肉質な人のほうがBMI値が高く、肥満度が高くなります。体脂肪率も、むくんでいたりすると筋肉の中の水分も筋肉として計測されたりして、正確な数値とはいえず、実際より多く計測されることがあるの。数値だけに惑わされては、本当の美には近づけない。あなたは、どんなスタイル、プロポーションになりたいのかしら。

ミス・ユニバースの各国代表を見てきて、日本の女性に教えたいと思うことは、体重よりももっと、気にしたほうがいいことがあるということ。**日本の女性は、華奢に見えても締まっていない感じが、美しさを損ねていてもったいないわ**。筋肉が足りずメリハリがないのと、むくみやたるみが、シャープさと健康的な印象からかけ離れてしまう理由ね。**あなたに本当に必要なのは、減量やダイエットではなく、リンパマッサージや筋トレなのかもしれませんよ**。もう一度、自分のプロポーションを客観的に観察してみましょう。

33

あばらの浮いたミスはいません。
プロポーションもグローバル基準に。

「体型の気になるところは？」と日本人女性に聞くと、「お尻」「太もも」などをあげる人が多いようです。たしかに、アジア人は欧米人に比べて、骨盤が横に張っているから、ファイナリストでさえ下半身のトレーニングをイネスさんに指示されることがあるわ。でも、下半身以上に、日本人の体型に対して、欧米人が気になる点があるのを知っているかしら。

それは、上半身が貧弱なこと。成熟していない少女のようで、残念ながらゴージャスさやセクシーさとはかけ離れた印象を受けてしまいます。ミス・ユニバースの各国代表を見てみましょう。上半身やウエストが締まっていても、あばらが浮いてガリガリ、という人はいないでしょう。やせていることと、健康的に締まっていることは違うのです。**世界基準では、健康的であることも重要な美の要素。「やせればキレイ」、そんなドメスティックな思い込みから離れて、グローバル基準の美しさを目指さなくては。**今日から、上半身のエクササイズを増やしてみてください。肩や腕、お腹といった上半身を鍛えて、アンバランスな貧弱さからはもう卒業。下半身だけ目立つこともなくなって、悩みも自然に解消よ。肩を開いて、姿勢をよくすることも忘れないでね。

34

食べなさすぎる日本女性が心配だわ。

表参道や青山といったおしゃれな街のカフェで、ランチをとっている女性たちを見ていると、ときどき心配になります。それでお昼は終わりなの？　と聞きたくなるくらい、小食の美女たち。でも、**食べないことが、逆にダイエットから遠ざかっていることがあるって、知っていますか。**

脂肪を燃やすのは、筋肉です。たんぱく質を十分とらないと、筋肉が維持できないようになります。今は太らなくても、あと5年もしたら、まったく脂肪が燃えない身体になって、太りやすくなりますよ。また、良質な炭水化物をとらないと、身体が飢餓状態になって、とり入れたカロリーを脂肪としてため込みやすくなってしまうのです。脂肪をため込み、燃えにくい身体なんて、考えるだけでぞっとしますね。

ファイナリストのみんなに食事療法のアドバイスを出すときも、必ず、食事は抜かないこと、ある一定の量と質を保つことを約束してもらいます。最低でも一回の食事で、「手のひら一つ分のたんぱく質と、穀類と野菜をあわせて手のひら二つ分、そして少量のいい油分」はとるように、とアドバイスしています。たくさん食べても栄養のバランスがとれていれば、過度に太ることはありません。食べなさすぎの本当の恐怖は太ることなのですよ。

35

老化の敵は酸化だけじゃない。
「炎症」も覚えておいて。

身体が老化していくということは、どういうことか知っていますか。「身体がサビる」などと耳にしたことはありませんか。活性酸素が細胞を傷つけることを酸化といい、それが老化の原因の一つといわれています。金属になぞらえて、サビるなどと表現するのですね。酸化の理由はいろいろありますが、紫外線、過度の運動、タバコ、ストレス、睡眠時間の不足などでしょうか。その対策は、野菜やフルーツに入っている抗酸化物質をとることで、老化のスピードをゆるやかにすることができます。

老化の体内時計の針を進めるものとして、もう一つ覚えておいてほしいのが、「炎症」というものです。ねんざをして腫《は》れることなどが炎症ですが、これが体内の細胞レベルで起こると、老化が進むのです。**炎症をひき起こす犯人は、精製された砂糖や炭水化物、トランス脂肪酸、乳製品のとりすぎ**。とくに砂糖は、体内でたんぱく質と結びつくと、プリンのキャラメルみたいな状態になり、シワやたるみの原因に。精製された砂糖や炭水化物をとらないことが予防の近道ですが、抗炎症作用がある食物もあります。オメガ3の油分です。また、フルーツや野菜に含まれる抗酸化物質と緑茶です。漠然とした対応ではなく、敵の正体を知って対策をしっかりとっていけば、5年後のあなたの若々しさに違いが出ますよ。

36

サーモンはアンチエイジングのスーパーフード。

サーモン（鮭）は美容と健康に効果絶大なのを知っていましたか？　アメリカでサーモンは、「アンチエイジングに効くスーパーフード20」に選ばれていて、積極的にとることをすすめられているのです。

サーモンに入っているアスタキサンチンという抗酸化物質には、抗シワなど肌のアンチエイジング効果があります。また、免疫力の向上、動脈硬化の予防、抗ガン作用といった効果も。美容に気をつけると、おまけで健康がついてきて、一石二鳥ということですね。

さて、老けている印象を受けるのはどんな顔やプロポーションでしょうか。実際の体重が重いかどうかよりも、重要なのは見た目ですよね。弛《たる》んでゆるんだ顔や身体のほうが、老けて見えます。そのゆるみに対抗できるのもサーモンなのです。

サーモンには、神経伝達物質の原料になり、筋肉を引き締める効果のある「DMAE」という物質が入っています。加齢とともに弛んでくる筋肉を身体の内側から支えることができるのです。肌、内臓、見た目、あらゆるところのアンチエイジングに効くサーモンを今すぐ常備食材に。オメガ3の豊富な天然のものがおすすめです。

37

クルミとブルーベリーで脳もアンチエイジング。

脳は身体の司令塔です。脳が老化してしまっては、身体の機能も落ちます。また、いくら若い身体を持っていても、脳が司る気持ちや心の働きが年老いていては、いきいきと活動することができませんよね。何のために若々しい身体を目指すのかといえば、女性としてはつらつと豊かな人生を過ごすため。ですから、美女には脳の若さも大事なのです。

脳を若々しく保つというと、脳トレといわれる訓練などを思い浮かべますが、食べ物の摂取でも十分可能です。そのために、どんどんとってほしいのが、ナッツ類とブルーベリー。ナッツの中ではとくにクルミがおすすめです。脳だけでなく、肌も若々しく保ちます。

クルミの形は脳の形に似ているので、ブレインフードなどともいわれます。もちろん形が効くのではなく、クルミに含まれるオメガ3という良質の油分が効くのです。認知症にかかった人の脳は、普通の人の半分の量しかオメガ3の成分がなかったというデータがあります。病気にかからなくても、加齢によってどんどん減っていくので、補うことが必要です。**青魚の脂もオメガ3なので脳に効きますよ。ほかに、ハーブのローズマリーは脳を活性化させます。**うまく食事にとり入れて、脳もエイジングケアをして、心の若さも目指しましょう。

38

「ふわふわ」「とろとろ」スイーツは完全な敵。

日本のお菓子やパンは柔らかくて、とってもおいしいわよね。口どけが最高の、並んでも買いたいくらいおいしいドーナツなど誘惑の罠は増える一方。でも、悲しいことに、このふわふわ、とろとろと柔らかい食感は、アンチエイジング最大の敵なのです。

敵の名前は「トランス脂肪酸」という脂肪分。老化を加速し、過剰摂取すると心臓疾患まで引き起こす原因となります。ニューヨーク市では、06年12月から外食産業での使用が制限されました。カリフォルニア州では08年夏から全面禁止とされています。

植物油で揚げ物を作ったときにも生じ、ショートニングなどの油分を使った加工食品のほとんどに入っています。「マーガリンはバターよりもローカロリーだからヘルシー」なんていうのは大間違い。トランス脂肪酸がたっぷり。少量のバターのほうがずっといいのです。コーヒーについてくるミルクも、ほとんどがトランス脂肪酸です。知らないとつい気軽に使ってしまいますよね。甘いもの以外でも、「サクサク」もトランス脂肪酸の仕業。ファストフードのフライドポテト、ポテトチップスのような揚げたスナックなどがそうです。揚げた油は酸化が進んで老化の時計を進めるのですから、できるだけ、とらないようにしたいものですね。

39

アイスクリームは、
老化を進めるかわいい悪魔。

夏なのになんだか太るなあ、と思っているあなた。アイスクリームをたくさん食べていませんか。とろりと甘い口どけが、心まで柔らかくとろけさせてくれますね。しかし、アイスクリームは体重が増えること以上に怖いエイジングの悪魔なのです。

まずは砂糖。**冷たいものは甘さを感じにくいので、同じぐらいの甘さのケーキなどよりも、思っている以上にたっぷりと使われています**。口で溶けて、液体で体内に入っていくので吸収は早く、固形の食材よりも急激に血糖値が上昇します。砂糖だけでなく、牛乳や乳製品が使われているので、なおさら老化の原因である炎症を引き起こしやすくなります。そしてトランス脂肪酸。市販のものの場合、簡単にふんわり感を出すために、たっぷりと使われています。**砂糖と脂肪分が結びつくと、体内でさらに老化時計のスピードを加速度的に進めるのです**。書いているだけで胸が苦しくなります。

どうしてもアイスクリームが食べたいときは、生クリームなどの乳製品を使わないジェラートやシャーベットを。はちみつや豆乳、フルーツ、カカオなどを使って自分で作るか、安心な素材を使っているレストランで、食後に少しだけ食べるほうが健康的。お風呂上がりのアイスクリームを習慣化したら、10歳は老けますよ。

40

タバコは今すぐ止めて。

どんなにいい栄養をとっても、それを一瞬で無にしてしまうもの、それがタバコです。甘いものだって、とらないに越したことはありませんが、とり方やタイミングで緩和する方法があります。しかし、タバコの場合、吸っていらっしゃる方には残念ですが、減ってしまったビタミンCを補てんするぐらいが精いっぱい。身体を傷つける要因のほうが多くて追いつきません。タバコは体内で、何千種類もの有害な化学物質を合成させます。血中に活性酸素を増やすので、老化を進めることになるのです。血管が収縮するので血行が悪くなり、くすみ肌の原因になるうえ、シミやシワを作ります。**野菜やフルーツの抗酸化物質をいくらとったところで補いきれない、無数の引っかき傷が細胞につけられているという状態をイメージしてみてください**。いやですよね。2年、3年でその違いは必ず出てきます。

しかし今すぐ止《や》めたほうがいいと頭でわかっていても、できないのはなぜでしょう。その原因を考えるところから始めましょう。なぜ吸ってしまうのか。そのストレスのもとを断つことです。止めるためのノウハウやグッズもたくさんあるので、うまく利用して、段階的に吸う本数を減らすところから始めてみましょう。タバコを止めると太るということも言われていますが、身体の機能が上がって、すぐに元に戻りますよ。

41

足りないのも多いのも、運動が老化の針を進める。

運動不足はいけないとわかっていても、時間がない、疲れたという理由で続けられない人も多いでしょう。なぜ運動不足がアンチエイジングによくないのか。運動をしないで、普通に生活しているだけで脂肪が燃えることを基礎代謝といいます。筋力が落ちると、その量が減っていき、太りやすくなります。その減少速度を遅くしてくれるのが、筋トレなのです。筋トレはそのほかにも、肌にいい成長ホルモンをたっぷり出す、運動することで血流がアップして、体内のすみずみの血管を強化できるなどのアンチエイジング効果があります。また、姿勢をまっすぐに保つのも筋力なので、筋肉が落ちるとすっきりとした姿勢を保てなくなり、老けた印象になってしまいます。

しかし、運動をしすぎるのも、逆にエイジングを加速します。運動をすると、体内で活性酸素といわれる物質ができ、それが多くなりすぎると老化が進みます。毎日何十キロも走るなどというのは、ちょっと多すぎますね。**有酸素運動と筋トレを週に2～3回、30分程度でアンチエイジング効果は十分です。**ジムに行かなくても、グッズを使って自宅で行なえます。日々のスケジュールに組み込み、「動かないと気持ちが悪い」というところまで習慣化しましょう。10年後も笑顔でいられますよ。

42

正しい姿勢と深い呼吸が
みずみずしい美しさの基本。

背筋がまっすぐに伸びた姿勢が若々しく美しいのは、ファイナリストたちの姿を見ていてもよくわかりますよね。彼女たちは、イネスさんに叱られ泣きながら、高いヒールでの美しい姿勢を特訓され身につけました。でも、正しい姿勢が彼女たちの身体の内側にも美の種を運んできたことをご存知でしたか。

姿勢が正しいと、内臓が本来あるべき位置に収まり、活発に働くようになります。また、背骨の近くには神経が走っています。身体をリラックスさせる副交感神経の働きがよくなり、休息の質が上がります。疲れにくく、疲れがたまりにくい身体は老化とは無縁。ストレッチで身体をほぐし、あるべき位置に骨格が戻るよう整えましょう。

現代人は呼吸が浅くなってきているといわれますが、意識して呼吸を深くする時間をもつと、アンチエイジングの効果があります。細胞の隅々にまで酸素がいきわたって、活発に身体が機能するようになります。**横隔膜を動かすと、基礎代謝が上がって、脂肪が燃えやすい身体にもなっていきます。吐く息を、吸うときの2倍の長さにするように心がけると、より代謝が上がります**。身体を弛緩させるのにも、精神を落ち着かせるのにも、深呼吸の効果は絶大。1分だけでも試してみてください。

43

コンビニごはんには缶詰を味方につけて。

加工食品には、添加物が入っていますから、なるべく食べないほうがいい。それはわかっていても、忙しいときなど、どうしてもコンビニのお弁当に頼らざるを得ないこともありますよね。そんなときでも、少しヘルシーになる食べ方があるのです。

心がけてほしいのは、たんぱく質、野菜、炭水化物のバランスを整えること。**おにぎりだけ、パンだけというような「炭水化物ばっかり食べ」はやめてください**。メニューを選ぶときは、違うものを組み合わせることです。炭水化物は、パンよりおにぎりを選びます。野菜はたくさんとったほうがいいので、ぜひサラダを食べてほしいのですが、よく見かけるサラダには、たんぱく質が不足しています。でも、たんぱく質がとれる、メインとなるメニューは肉類が多く、よくない油を使っているものがほとんど。どう組み合わせるといいのでしょうか。私なら、サラダに、チキン、ツナ、鮭の水煮や、イワシの味噌缶、または豆の缶詰をプラスします。そうすれば、健康的にたんぱく質をとることができ、栄養バランスもよくなります。ドレッシングは、オリーブオイルかオメガ3の亜麻仁油で手作りして持参するといいですね。缶詰も加工食品ですから、あくまでも応急処置。コンビニごはんの増えない生活がいちばんです。

44

ナッツとドライフルーツで美しい間食を。

ヘルシーな間食は、美女の要《かなめ》。食事の時間があまりにも空きすぎると、次に食べたときに血糖値が急上昇します。途中で身体にいいものを適度にとって、血糖値をうまくコントロールするほうが美容と健康にいいのです。

もちろん間食が必要といっても、スナック菓子や砂糖・脂肪たっぷりのお菓子でいいわけはなく、ダイエット飲料などをとれば、もっと甘いものがほしくなります。

腹もちがよく、カロリーをとり過ぎないことが間食の基本です。腹もちをよくする、つまり血糖値を緩やかに上げ、満足感を得るには、少しのたんぱく質と少しの良質な脂肪分が必要。そこでおすすめなのがナッツ類です。クルミやアーモンドは良質な油分の宝庫で、手軽にとれるヘルシースナックに。手のひらにのるくらいの量（5〜6粒）で十分満足できます。

また自然の甘みがたっぷりのドライフルーツもおすすめです。アプリコットやプルーン、レーズンなどスーパーにはたくさんの種類が並んでいます。砂糖や保存料無添加のものを選んでください。ドライイチジクやデーツ（ナツメヤシ）にアーモンドをはさむとバランスがいいだけでなく、おいしいですよ。小さい容器にでも準備して持ち歩きましょう。備えがあれば、悪魔の間食から逃れられます。

45

「早食い」は美女の品格ががた落ちよ。

いくらファッションや美容に気を遣っても、マナーや振る舞いがよくなければ、品格ある女性とはいえませんよね。ファイナリストたちのトレーニングでも、ダイエットや栄養指導より、エレガントなマナーや振る舞い方を身につけることに多くの時間を割いていました。

あなたも時間が大事とばかりに、気がつかないうちに「早食い」で食事をしていませんか。エレガントさからはもっとも遠い行為ですね。マナーとしても美しくありませんが、身体の内側を磨くためにもマイナスな行為です。でも実は、**ストレスを感じていると、無意識に食べるのが早くなってしまうの**。そして、早く食べると満腹感を感じるのが遅くなります。**早食いの人は、普通の人より3倍肥満が多い**という研究結果もあります。早く食べる人はたいていキチンと噛んでいません。噛まないで食べることは、消化で酵素をたくさん使って減らしてしまい、胃や腸に負担をかけることになります。

でも、よく噛めば血糖値が緩やかに上がるようになります。穀物のＧＩ値が、粒のものより粉にしたもののほうが高いのは、噛む行為が少ないことも関係します。よく噛むほうが、満腹にもなりやすいですし、顔の筋肉のトレーニングにもなります。よく噛むことはいいことばかりですよ。

46

いい消化は美人の絶対条件。

栄養、カロリーは、「とる」ことに主眼を置きがちで、栄養を「吸収」し「出す（排泄する）」ことがついおざなりになっているような気がします。栄養は、しっかりと吸収されてこそ力を発揮するもの。また、しっかりと「出す」ことなしでは、せっかくの効果もくすんでしまいます。つまり、いい消化こそが美容と健康の大原則。ぜひ覚えてくださいね。

1．ゆっくりと食べる。よく嚙んでいただく

嚙むことで唾液が出ると、消化酵素が出て消化しやすくなるうえ、胃などほかの消化器官が働き始めるスイッチを入れてくれます。理想は、液状になるまで25回以上嚙むことです。

2．食べながら水をとらない

食事中水分をとると、唾液の消化酵素が薄くなります（ワインは大丈夫）。

3．朝は王様のように食べ、昼はプリンスのように食べ、夜は貧者のように食べる

英語のことわざです。これから活動する朝と昼にたっぷり食べましょう。

4．ストレスや怒りを感じているときはあまり食べない

ストレスや怒りを感じていると、消化が悪くなり、お腹がはったりします。また、無意識に食べるスピードも速くなり、それも消化不良の原因になります。

47

お腹がすいて眠れないくらいなら、豆乳ココアを。

寝ている間に胃に食べ物が入っていると、睡眠が浅くなります。夜になると身体の機能がスローダウンし、しっかりと消化できないので、寝る前の最低3時間前には食事を終えておきたいもの。夜に食べるほうが、ホルモンの影響で、脂肪として体内に蓄積されやすいというデータもあり、寝る直前や深夜に食べないほうがいいのは、美女の大原則です。しかし、お腹がすきすぎて眠れないと、耐え切れずベッドから飛び起きて何か良くないものを食べてしまう。そんなことをしてしまいがちですが、それなら、いいものを少しお腹に入れて早く眠るほうがいいのです。

寝る前に食べるのには、消化に酵素を使わないフルーツもいいです。また、少しのたんぱく質と脂質を含んだものは、少量でも満足感が高くなります。そこでおすすめなのが、砂糖の入っていない無調整豆乳に、砂糖やミルクの入っていないピュアココアと、はちみつかメープルシロップを少々入れたドリンクです。**大豆とカカオのたんぱく質と脂肪が血糖値をゆるやかに上げ、少しでお腹が落ち着きます**。液体なので消化に負担がかからないことも利点です。カカオの抗酸化物質には毛細血管を開いて、血流を良くする効果もあるので冷えのある人にはとくにおすすめ。身体にいいものをとって、美しく眠りに落ちましょう。

48

食材は裏から見るのがビューティマスター。

どんな食品でも、原材料表が記載されていますよね。その表でいちばん初めに書いてある材料が、何を表しているか知っていますか。

原材料表示の大原則として、「いちばん多く使っているもの」から順番に記載することになっています。それに注意して原材料表を見るとびっくりすることがあります。

たとえば、お蕎麦。スーパーで売られているような普通の乾麺の場合、原材料表を見ると、小麦粉がいちばん初めに書いてあるものがほとんどです。お蕎麦だと思って食べていたものが実は限りなくうどんに近いものだった、なんてことがあるかもしれません。それではお蕎麦のもつ抗酸化作用や免疫力の向上などの効果は、あまり期待できなくなります。効果が減るだけならまだしも、とりたくないものが見えない形でたっぷり入っていることのほうが怖いですね。知らないうちに不美人への道を歩んでいることに。カフェオレなどの飲み物の場合、砂糖が最初に記されているものがほとんどです。スイーツの場合、マーガリンやショートニングなど、トランス脂肪酸系の油脂がほとんどということも。

日本人は、原材料表を読むという意識が低いように思います。**あなたが食べているものが本当は何でできているのか、もっと注意と関心をはらってほしいと思います。**

49

おばあちゃんの知らない原料が入っているものは買わない。

原材料に注目することが大事だと、前項でも述べました。しかし、原材料表を見ても、その成分が何を表しているのかまったくわからないことも多いですね。買ってはいけない食材を紹介した本やサイトも多くあるので、調べてみるのもいいでしょう。しかし、新しい食材、添加されるケミカルな成分が次々に登場する日本では、覚えておくのも大変です。パンでもお菓子でも、日本では味や食感、見た目にも気を配られた商品が作られています。

判断に迷う状況をうまく乗り切るための、シンプルな原則があります。それは、あなたのおばあちゃんが知らないような成分が入っているものは、口にしないということ。カタカナで記された原料は、糖類や人工甘味料、トランス脂肪、化学合成調味料や保存料、香料、酸化防止剤など身体によくないものであることが多いのです。

私が食べるものの大切さを知るきっかけとなったのは、15歳で留学生として大分に滞在したときでした。ホストファミリーのおばあちゃんが作ってくれる昔ながらの和食を食べていたら、肌や身体の調子がとてもよくなったのです。ですから、**おばあちゃんが知らないような成分は美しさに必要がないはず**。美しくなるためには、原材料表の記載品目が少なく、昔ながらの伝統的な食材を選ぶよう心掛けましょう。

50

不調が続くときは、
発酵食品で腸内美化を。

私の周りでは「風邪をひきやすくなった、治るまでに時間がかかるようになった」と言う人が多くなりました。風邪に限らず、口内炎やニキビなども含め、一度身体の調子が崩れると戻らないことがありませんか。そういうときに、ただ風邪薬を飲んでいるだけでは、根本的な解消にはなりません。長引く不調と手を切るために、ぜひ試してもらいたいのが、遠回りに感じるかもしれませんが、腸をきれいにするということです。

病気にかかりやすく治りにくいということは、身体がもっている免疫力が落ちているということのシグナルです。**免疫力を落とさないこと、上げることにいちばん大きな役割を果たすのは、意外かもしれませんが腸なのです**。便秘をしていたり、抗生物質を常用したりすると、いい菌がなくなって腸がきちんと働かず、免疫力が落ち、病気になりやすくなり、治りにくくなっている可能性が考えられます。

腸をデトックスするのに大切なのは、いい菌を増やすこと。ヨーグルトや納豆、ぬか漬けなどの醗酵食品をとって、乳酸菌をはじめ、いい腸内細菌を補給しましょう。あわせてビタミンCをとると効果的。便秘がひどい人は、青汁などで食物繊維も十分にとりましょう。

51

新しい食習慣は、まず1カ月続けるの。

化粧品を次から次へと変える女性がいますね。即効性をうたう商品が増えているせいでしょうか。判断が早いのは現代人として優秀かもしれませんが、食生活を変えるときは、それが裏目に出ることがあります。食はいちばん強力なビューティツールだと、本書の冒頭でも述べました。しかし残念ながら、今日食べたから明日すぐに効く、というものばかりではありません。

人の身体は細胞がある一定の期間で生まれ変わっていることをご存知ですか。肌なら28日で生まれ変わります。あなたの肌のいちばん上にある細胞は、28日前にでき、一月かけていろいろな栄養を吸収して、今そこにそのような状態で存在しているのです。**身体の内側から本当にきれいになっていくためには、ある程度の時間が必要です**。

ですから、効かないと性急に判断するのはもったいない。新しい食材をとり入れたり、不必要なものをとらないようにしたりする、新しい食のスタイルは、長く感じるかもしれませんが、1カ月続けてみてください。**食は、あなたの美しさにゆっくりと、でも必ず効果をもたらします**。身体の内側からきれいになると、その効果も長く続き、ちょっとやそっとの悪環境にも負けない美しさが得られるのです。

52

一日一善、ゲーム感覚で美人のライフスタイルを作る。

いくら美人になるのに食事が大切でも、忙しい毎日の中で、食事のことだけを考えてはいられないと思う方もいるでしょう。また、頭ではいいとわかっていても、生活を変えて実践していくというのは、単純なことでさえ困難であったりします。

食事を作ることやいい食材を身体にとり入れるのが、たとえ健康や美容のためであっても、義務のようになってしまっては効果も半減します。そんなときには、**一日一つでも、身体にいいことをとり入れてみることをおすすめします。**

「買ったことのない野菜を買ってみる」「初めてのレシピに挑戦する」「サーモン料理を30種類編み出す」「友だちを呼んで美人ホームパーティを開く」「野菜でフルコース作る」など、お題を作り、ゲーム感覚でクリアしていくようにすれば、楽しんで新しい食習慣を定着させることができるでしょう。やったことのないことへの挑戦は、新しい刺激になり、脳も活性化。一つでもやりとげれば、達成感を得られます。食という小さなものでも成功体験を積み重ねることは、精神的にもプラスに働きます。

家事や雑事ととらえれば食事作りはルーティンかもしれませんが、美に対してもっともクリエイティビティを発揮できる場面。過程そのものを楽しんで、美しくなりましょう。

53

「ばっかり食べ」は効果半減。

日本に来て不思議だなと思うことの一つに、食べもののブームがあります。テレビや雑誌の情報で「この食べものがいい」となると、お店から消えるほど、多くの人が買いに走る。いいと思ったことをすぐに試すという気持ちは前向きですし、いろいろな情報への関心が高いのはいいことです。しかし欧米なら、自分に効くかどうかを考えたり、逆の説を持ち出したりと、一斉に殺到するとは考えにくいですね。

情報に飛びつく前に、自分に合うかどうか考えることがまず必要だと思いますが、それ以上に知っておいてほしいことは、**なにか一つの食べものだけで効果があるということはまずないということです**。基本的な栄養をとっていてはじめて、その効果がプラスに働くものです。朝にバナナだけ食べていても、それ以外の食事で栄養をしっかりとらなければ、そのときはやせたとしても、長期的には燃えない身体、やせない身体になってしまい、結果リバウンドしてしまうでしょう。

必要な栄養はたくさんあり、野菜やフルーツは抗酸化作用一つとっても、成分が違います。いろいろな食品をバランスよくとることの効果は絶大。バランスよく食べることを基本に、特定の食べ物をプラスするという発想で、情報に向き合いましょう。

54

外食の美人メニューは油と野菜がカギ。

友人や家族と語らいながら、おいしいものを食べる時間は、なにものにも代えがたい人生の楽しみです。もちろん外食であっても、きれいになる機会にできますよ。

メニュー選びは、油の使われ方と野菜をたくさん食べられるかどうかで判断。**和食は脂っぽくなくてヘルシーな美人メニューがたくさん**。鍋料理や焼き鳥、焼き魚、寿司などはとくにおすすめ。生野菜やフルーツをあわせてとることでより完璧に。イタリアンなら、ベースがクリームよりトマト味のものをセレクト。フランス料理は、できるだけソースの重くないものに。調理法としては、グリル、ロースト、蒸し料理、煮物を。食材は、お魚、鶏肉、赤身のお肉、豆類、お野菜。

中華料理とインド料理は、油がたくさん使われています。油が酸化していたり、オメガ6系のものであったりするので、あまりおすすめできません。どうしても食べたいというときは、軽く炒めた野菜などをオーダー。タイ料理やベトナム料理、辛すぎない韓国料理、中東料理、スペイン料理、モダンフュージョンスタイルもOKよ。

一人で食べるメニューは、定食でバランスよく。単品は、純度の高いおそばなら抗酸化物質もたっぷり。かつ丼など油と精製した炭水化物をどっさりとるようなものは控えて。

55

睡眠はダイエットの手軽な特効薬。

美しい肌を作るのに、睡眠が大事だということを、もうみなさんは知っていますね。とくに22〜2時がゴールデンタイムです。しかし、眠ることがダイエットと関係が深いことはご存じですか。起きて活動するほうがエネルギーを使いそうですが、成長ホルモンなど、眠ることで生まれるホルモンが、やせやすい身体にしてくれるのです。さらには免疫力も高めてくれ、風邪などをひきにくくなります。

夜型の生活の人のほうが太りやすいということは実験で証明されています。**眠っているほうがやせやすいホルモンが出る**ということに加え、夜型の生活習慣が陥りやすい罠もあります。**同じカロリーを摂取するのでも、日中より夜のほうが体内で脂肪になりやすいのです。**加えて、夜食べてきちんと消化しないで眠ると、睡眠の質が悪くなり、成長ホルモンなどが出にくくなります。どんどんやせない身体、太る身体を作る悪循環！

睡眠不足はアンチエイジングの敵。寝ている間に活性酸素などで傷つけられた細胞が修復されるのです。また、睡眠不足が慢性化すると、ホルモンの働きに支障をきたし、空腹感を増長させたり、食欲抑制がきかなくなったりします。美肌とやせやすさと若々しい身体を手に入れたければ、一日8時間は眠りましょう。

56

就寝1時間前の過ごし方が眠りの質を変える。

ファイナリストの女性たちにライフスタイルの指導をするとき、食事以外にも日々の生活で守ってもらうことがあります。それは、寝る前の1時間は、携帯やパソコン、テレビなどの画面から離れるということです。

眠る直前まで情報に触れて、頭を使っていると眠りに落ちにくいということもありますが、それ以上に、画面を見つめるということがよくありません。小さくても、画面から出る光が睡眠に与える影響は大きいのです。深い眠りに導くメラトニンというホルモンは、強い光を浴びると出にくくなります。浅い眠りでは、疲れが取れにくいだけでなく、成長ホルモンが十分作られないので、美容効果が半減します。

一定の時間眠っているのに、寝不足を感じるという人は、深い眠りをとれていないのかもしれません。**寝る前の1時間は強い光から離れて目や頭を休め、ストレッチなどでリラックス**。あまり深刻なことを考えずに、一日を振り返り、明日へのエネルギーをチャージする時間にしましょう。眠る前の準備で、睡眠の美容効果が違ってきますよ。お腹に食べものが入っていても深い眠りが得られないので、睡眠3時間前までには食事を終わらせておくことも大切です。

57

余裕のある朝があなたをエレガントにするわ。

規則正しい生活をすることが健康に大事だと、折にふれ耳にしていらっしゃるでしょう。わかっていても、忙しい現代女性はなかなか実践できないもの。美容にも規則正しい生活が効果的だと知ったら、少しはトライする気持ちになるでしょうか。

あらためて規則正しい生活とは何かと考えると、起きる時間、寝る時間、食べる時間を日々変えない、ということがポイントになります。人間のもつ自然なリズムから考えても、きちんと朝起きて夜眠ることが大事ですし、日々同じ時間であれば、身体が慣れて、働きに負担が少なくなります。食事の時間は、消化器官を休ませるためにも一定の間隔が必要。消化器官が正しく働けば栄養の吸収もよくなり、美容に効果があります。

夜型になっている人は、美しくなれないと心得て、朝型に変える努力をしましょう。寝る時間は帰宅時間に左右されがちなので、コントロールしやすい朝から着手。毎日同じ時間に起きて、光をたっぷり浴びるようにしましょう。身体が覚醒し、本来持っているリズムを取り戻しやすくなります。前項でも述べましたが、眠りにつく前の準備も大事。夜に雑事を詰め込まないで、朝のすがすがしい時間を有効に使いましょう。余裕のある朝を過ごしている人は、一日をエレガントに過ごせますよ。

58

疲れているときほど身体を動かしてみる。

疲れると何もする気力がわきませんよね。帰ってきて、ソファに座ったら、気がつかないままに時間が過ぎるなんてことも、ときにはあります。そういうときほど、軽い全身運動をするといいのです。

運動なんてしたら、ますます疲れがひどくなると思いますか。実は、**疲れたからと身体を動かさないでいると、ますます疲れが蓄積されてしまいます**。肩こりなどがその典型でしょう。身体は動かすことで、つまり機能を使うことで働きがよくなっていくものです。全身を動かすと、血行がよくなり、酸素がすみずみまでいきわたります。そして疲労によって生まれた物質も代謝しやすくなります。身体が軽くなっていくと、気分もすっきりしますよね。今すぐにでも眠りたいほど疲れているときも、運動で一度体温を上げてからのほうが眠りに落ちやすくなり、深い睡眠を得られますよ。

ヨガでもピラティスでも、好きなエクササイズがあればそれを好きなだけ。特になければ、冷えのところで紹介したミニトランポリンもひざに負担をかけずにリンパの流れを促進するのでおすすめ。理世もよくやっていたわ。また、大きな筋肉を伸ばすストレッチなどでも十分有効です。疲れをとる方法は安静にするだけではないことを覚えておいてください。

59

一日に一度のリセットポーズでストレス解消。

現代社会を生きていてストレスと無縁の人はいないでしょう。どんなに好きな仕事や家事をしていても、時間に追い立てられて忙しい日々を過ごしているとストレスを感じるもの。ストレスは、コルチゾールというホルモンを発生させ、美と健康に大きな害をもたらします。いくら質のよい食事をとっていても、ストレスだらけの生活では、意味がありません。大きな不調に発展する前に、一日単位で解消していくことをこころがけましょう。

自分なりのストレス解消法でよいのですが、毎日続けられるぐらい簡単なものがいいでしょう。私のおすすめは、「リセットポーズ」。**床にただ寝転がって、手足を伸ばし、20分ほどぼんやりするのです**。呼吸はゆっくりと深く。たったこれだけのことで、身体をリラックスさせる副交感神経が働くようになり、ストレス解消効果があります。大の字になっていると身体の隅々にまで血が巡っていき、身体が軽くなっていくようです。何も考えないことで、忙しい日常からギアチェンジができ、精神的なリフレッシュにもつながります。帰ってきたら、ひとまず床に寝転ぶのを日課にしてみてください。意識してぼんやりする時間をもち、ストレスとうまく付き合いましょう。

60

ベネズエラ代表の魅力からわかること。

ミス・ユニバースに選ばれる女性がきれいなのは当然と思うかもしれません。確かに、どの国の代表のミスも素晴らしいプロポーションと顔立ちをしています。その高いレベルの中で、いちばんきれいとされる人はどんな人なのでしょうか。

08年の世界第一位はベネズエラ代表でした。私の知り合いに各国代表の写真を見てもらうと、誰もがきれいで差がないといいます。順位の低い代表にも同じくらいきれいな人がいるという声も。しかし、ベネズエラ代表のインタビュー動画をHPで見ると、誰もが彼女がトップであることを納得しました。

彼女は、話す言葉、内容が人を惹《ひ》き付けるのはもちろんなのですが、話している様子がとても魅力的なのです。大きさや形をいきいきと変える目の輝き、柔らかだったり、エネルギッシュだったりする豊かな表情、若々しく活気にみち、それでいて女性らしい身振り。見ている人に彼女の印象を聞くと、弾《はじ》けるような明るさ、たおやかな心が生み出す余裕、エレガンス、活力あふれたきらめきなどいろいろな言葉が返ってきました。**とりたてて表現しようとしなくてもにじみ出る、姿形をこえた、彼女の持つ色とりどりの内面の輝き。誰かに響く美しさに欠かせないものは、私たち女性の誰もが手に入れられるものでした。**

61

理世とくららも初めから完璧ではなかった。

くららのもつ知的なエレガントさ、理世ののびやかでいきいきとした美しさは誰もが認めるところでしょう。多くの人は、彼女たちが神様に祝福された特別な人と思っているかもしれません。素晴らしいプロポーションと美しい顔立ちや肌を得られた、恵まれた人だと。しかし、彼女たちが本当に特別で素晴らしいのは、努力することができた点です。

学生だったくららと理世は、応募してきたときからもちろんきれいでしたが、どこにいてもおかしくはない、普通の女性でした。日本におけるミス・ユニバース ナショナル・ディレクターのイネスさんはそのまま出場できるなどと思うはずはなく、厳しい指導を重ねます。くららは冷えの解消のために、筋肉を使うワークアウトを毎日していました。理世はストレス解消のためにリラクゼーションタイムを充実させ、エクササイズ、食事、自己表現……と少しでも美しくなるために努力を重ねました。そして、日本基準の美しさであるかわいらしい感じから、世界基準のゴージャスで成熟した女性へと成長したのです。

誰もが、今より美しくなれる。美しくなるための努力は必ず実を結ぶ。それを実証してくれたのが、ミス・ユニバースでの日本勢の上位入賞なのです。

62

自分をもっと肯定しましょう。

ミス・ユニバースの各国代表の美女と日本のファイナリストたちを比べ、日本人が負けないことは何でしょう。まじめで熱心なことにかけて日本女性の右に出る者は誰もいません。イネスさんや私が「こうしたほうがいい」と指摘したことは、素直に真剣に取り組みます。一生懸命な人にはもっと何かしてあげたいと思うもの。ときに練習が深夜に及ぶこともあるのですが、「疲れたからもう休みたい」などと言い出す人が誰もいないことには驚きます。これがほかの国だったら、勝手に切り上げて帰ってしまう人が出るところです。

日本女性が一生懸命さや誠実さという美点を持つように、誰にでもそれぞれ、いいところがありますよね。日本の女性を見ていると、一部の自信過剰な人と、大部分の自信が足りない人とに分けられるように思います。自信が持てないの、という方は、お友達に「私のいいところって何?」と聞いてみて。「安らげる優しさ」「エレガントな雰囲気」などと教えてくれるでしょう。自信を持つと、自分を肯定することができ、周りにも優しくなれる。エネルギーをえてやる気が増し、内面からきれいになるほうへと自然に向かっていくのです。**謙虚であることは日本女性の美徳ですが、もっと自分の素晴らしさに自信を持つ必要があります。**自信と自慢は違うもの。こっそりと自分にだけ、ＯＫを出せばいいのです。

63

ロールモデルとライフワークが人生の必須アイテム。

あなたはなぜ美しく健康でありたいと思うのでしょうか。

最近気になるのは、やみくもにアンチエイジングや美しくなることに関心が向かい、それが何のためなのかがわからないように見える人が多いことです。いくら美しくても、中身が空っぽでは魅力がありません。年齢を重ねただけの成長がなければ、なぜ生きているのかむなしくなるでしょう。**豊かではつらつとした日々を送るためには、長期的に、広い視野で、自分の人生を考えることが必要です。**

その助けとなるのが、まずは目標になるロールモデルを見つけることです。一人の人で完璧な形をなさなくても、いろいろな人のいろいろな部分で形作ればいいのです。写真集や本など、見える形でそばにあるとわかりやすくていいですね。それから、自分だけのライフワークを持つこと。それに対して、気持ちや時間をささげることが、心から楽しいと思えれば、充実した毎日になるでしょう。誰かの助けになることなら、もっといい。私のライフワーク、それは、私の持つ美や健康の知識で、誰かの人生がもっと輝くように手助けすること。そのために、エネルギーにあふれ健康的で、女性として美しく生きていきたいと思っています。あなただけのロールモデルとライフワークで、美しい人生を紡ぎましょう。

64

食事は心の健康にも欠かせない。

誰かと親密になるのに、食事をともにすることが助けになったり、好きなものを食べることで、パワーチャージできたり。食事という行為に心を豊かにする効果があることは経験的に知っているでしょう。しかし、含まれる栄養素が科学的に心に影響を与えることもあるのです。

『スーパーサイズ・ミー』という映画をご存知ですか。ある映画監督が、1カ月間、ファストフードだけで過ごしたらどうなるか実験し、映画にしたのです。体重の増加、コレステロール値の上昇など、身体の変化も大きかったのですが、驚いたのは、心にも変化があったことです。何もかもが面倒になり、エネルギーが不足し、次第にうつ状態に陥ったのです。必要な栄養素が足りていないことで、身体の働きが落ち、エネルギーとやる気が減退。とらないほうがいいモノをたくさんとったため、ホルモンバランスを崩し、うつ状態を引き起こしたということだと思います。カルシウムが不足するとイライラするということは知られてきましたが、そのほかにも、**食事は、ドラッグのようにメンタルに影響し、よく効く薬にも、副作用をもたらす薬にもなりえるのです**。いい精神状態を保つためにも、しっかり栄養を補給しましょう。

65

笑い、楽しみ、喜ぶことできれいになれる。

あなたは今日何回笑いましたか。小さなこどもやペットがいると、自然に笑みがこぼれることも多いですが、一人で暮らしていたり、気がかりなことがあったりすると、笑わないで一日を過ごしてしまうこともあるでしょう。

ストレスホルモンのコルチゾールは笑うことで減少します。ただ笑うだけで、免疫力が向上するとは驚きです。病気になりにくく、治りやすくなるだけでなく、血流が増え、栄養が肌にいきわたり、美肌効果が上がります。楽しい、嬉しいと思うことも同様の効果があり、エネルギーが活性化します。小さな出来事に楽しみや喜びを見つけるのは女性の得意分野、どんどん拾っていきましょう。

どんなときでも心から笑うことができればいちばんなのですが、そうもいきませんよね。そんなときは、感情が伴わずとも口角を上げた笑顔を作るだけでも脳が錯覚して、コルチゾールが出にくくなるという実験結果があります。人の身体は本当に不思議ですね。この作用をうまく利用して、精神的につらいときほど笑顔を作りましょう。**きれいになるために、鏡をチェックするついでにひと笑い、を日課に。**自然と笑顔の時間が増え、周りの人にもいい影響を与えることができますよ。

66

あなた自身をいちばんにする時間をもちましょう。

誰かのために何かをして喜びをえることは、私たち女性をいきいきと輝かせます。それが自分の大事な人のためなら、なおさら張り切ってしまいます。しかし、日本の女性を見ていると、ちょっと無理をしすぎているのではないかしら、と心配になることもあります。

妻であり、母であり、社会人であり、企業人であり、などと一人で何役もこなしている人は、一日中、自分以外の人のために時間と労力と心を使っています。「自分のための時間は後回し」で、本当にいいのでしょうか。いくら充実していても、頑張りすぎるといつかパンクしてしまいます。誰かに何かを与えるためには、自分の中身が充実していなければなりません。忙しい毎日の中で、ときには自分をいちばんにしてみる時間を作ってはどうでしょうか。

その時間、誰かのために何かするのと同じように、美容や健康のためにプラスになることをするのです。ストレスホルモンが減って、エネルギーが満ちて、もっと誰かのために動きだせるようになります。10分でもいいのです。

あなたをいちばん大切にできるのはあなた自身。身体と心のケアをして、生活の質を上げていきましょう。

67

褒められたら、心からの感謝を。

映画『ラストサムライ』に出演していた小雪さんの肌の美しさに、はっとさせられた欧米人は多いと思います。私もその一人です。日本の女性は彼女に代表されるような、クールでスタイリッシュなイメージがあり、上品でフェミニンな印象を受けます。いつも涼しそうなのはなぜかしら、と思うほど。でも、そういう日本人女性が持つ美しさについて褒めると、多くの日本人からは「いやいや大したことはありません」「でも、私はここがダメですから」などと、ネガティブな返事が返ってきます。

自分を反省したり、批判的に見たりする精神もときには必要です。しかし、それも行きすぎると、自信を喪失したり、自分を卑下したり、心は美しさから程遠い状態になってしまいます。

たとえば褒められたときは、「あなたがそう思ってくれるのは嬉しい」「自分を評価してくれる人に出会えて幸せだ」という意味をこめて、「ありがとう」と感謝しましょう。そのほうが褒めた人も気分がいいですよね。**褒められたことを素直に受け止め、心から感謝できるのが本物の美女というもの。**それを自信にして、もっと輝きましょう。「ありがとう」と口にするときのあなたは、きっと美しいはずです。

68

自分の美点にもっとフォーカスしましょう。

たとえば、「自分の性格や体型について話してください」と言われたとき、あなたはどんなことを話しますか。おそらく多くの日本人は、自分が気になっているところや、嫌いなところを表現するでしょう。

08年の日本代表が寛子に決まった理由の一つに、自分を信じる力の強さがあります。5年後の自分についてのエッセイをイネスさんから求められたとき、寛子ともう一人だけが、「自分がミス・ユニバースで1位をとった」前提で未来を描きました。

日本だと、このような振る舞いは自信過剰だと嫌われてしまうかもしれませんが、世界基準で考えれば、自己アピールをきちんとできる人だという評価になります。一見欠点に見えることも、他の光を当てると、そうはならないのです。また、欠点を真正面から見続けると、実際以上に大きく感じられて、そのことが頭から離れなくなってしまいます。ネガティブなエネルギーがさらなる悪循環を作ります。

自分の性格や外見など、欠点ばかりにフォーカスしないで、いいところから光をあてましょう。または欠点を補う方法や別な見方を考え、チャームポイントに。プラスの言葉で前向きな思考をするほうが、ストレスホルモンと無縁で美しくいられますよ。

〔5〕「白い」精製食品は完全カット

減量期間だけでも、すべての種類の精製食品を避けましょう。精製炭水化物1gの摂取に対し、3gの水分を体に溜め込むので、身体はむくんでしまうということを覚えておいてください。加工食品（デリ）と外食にも要注意。気がつかないうちに摂取していることも。

〔6〕食事は規則的に。19時以降は食べない

食事を抜くと、身体は飢餓感を感じ、カロリー燃焼率を下げ、脂肪細胞をためこむようになります。朝食を食べる人は、カロリーをより効率よく燃やし、減量効果が高いようです。そしてカロリーは朝か昼にとること！ できるだけ19時には夕飯を終えましょう。無理な場合は、19時以降はあらゆる炭水化物をカットして、野菜スープなど軽めの夕食に。

〔7〕塩分を控える

塩気の強い食品を食べると、身体は水をためこもうとします。そうするとお腹がはったり、体重が増えたりむくんだり。京料理のように、だしを利かせてあっさりとした薄味に！

〔8〕カロリーアップのお酒は我慢！

もちろん普段なら、赤ワインを食事と一緒に楽しむのは結構です。最新の研究では、赤ワインに含まれるレスベラトロール（抗酸化物質）は、脂肪をためこまないようにする働きがあるのでは、といわれています。でも、短期的には摂取カロリーを下げるため、禁酒です。

〔9〕必ず7～8時間眠ること！

睡眠時間が短いと逆に体重が増えるのです！ p118で書いたように、睡眠不足が長く続くと食欲抑制がきかなくなり、血糖値の調整にも支障が出ます。ストレスも増長させ、さらに食べたくなることになるという悪循環。1日7～8時間は睡眠時間を確保しましょう。

〔10〕有酸素運動をたっぷり！

早く体重を減らすためには、有酸素運動を多めにすることです。そして代謝を高めるのに、1週間に4回はウエイト・トレーニングをすることが大切なポイント。締まった筋肉は、食べたものを代謝燃焼し、摂取カロリーや体脂肪を燃やすのに最も重要なのです。

1週間

Beauty diet

スペシャル ダイエット プログラム

〜ウェディングやスペシャルイベントで輝くため！〜

ダイエットとは本来は食生活のことで、じっくり取り組むべきもの。でも、女性なら誰だって、ピンポイントでやせたいときもあるでしょう。1週間で美しく体重を減らす秘訣とメニュー例をご紹介します。

短期決戦! 減量成功の秘訣 10カ条

[1] ダイエット中も良質の油は必ずとる

良質の油分は長く満腹感を与え、食べる量を減らすことができるので、結果的に減量の味方です。美しくやせるために、低温圧搾法のエクストラバージン・オリーブオイル、アーモンドなどのナッツ類（塩分油分無添加、ロースト）、アボカドなどは食べ、しっかりと良質な油をとることです。

[2] たんぱく質の量をアップ!

やせるために減らす人が多いけれど、たんぱく質はしっかりとること。お魚、鶏肉、大豆など豆類、赤身肉、卵などは、満腹感を与えるだけでなく、血糖値のバランスを整え、満足感を長時間感じさせてくれます。たんぱく質は、消化するのにエネルギーがより多く必要で、結果として代謝レベルを高め、燃えやすい身体になります。

[3] フルーツと野菜から食べる

低カロリー・高栄養・高食物繊維のフルーツ・お野菜の摂取を心がけると、無性に食べたくなる衝動や空腹感が非常に軽減されます。1日摂取量の目安として、フルーツ2つに、野菜料理を4、5種類を心がけてみてください。

[4] 穀類をカットしない

食物繊維をとることから考えても穀類（炭水化物）の主食は大事。玄米や全粒小麦・全粒穀物パン、全粒押しオーツなどに代表される全粒粉食材を、たくさんではなく少しはとること。

昼食　サラダを習慣化して、野菜の抗酸化物質をたっぷりと！

＜昼食メニューの例＞

・ そば（天ぷらそばだけはNG）

・ 焼き魚定食（ご飯、サラダかお野菜のつけあわせなど）

・ ツナサラダ・サンドウィッチ（ライ麦か全粒粉のパンで）。ノンオイルのアーモンドなどのナッツを一握り、新鮮なフルーツ１つ

・ 鶏の胸肉のグリル、緑黄色野菜のサラダ、ナッツとレーズンを一握り、新鮮なフルーツ1つ

・ 鮭缶、ツナ缶、サバ缶、イワシ缶などを加えたサラダ、全粒粉パン１切れ、新鮮なフルーツ１つ

・ レンズ豆と野菜たっぷりのスープ（p 155 参照）、全粒粉パン１切れ、新鮮なフルーツ１つ

・スーパー美人サラダ（p 154 参照）、小さな鮭缶も一緒に。全粒粉パン１切れ

（ただし、この減量プログラムを実行しているときは市販のサラダドレッシングは控えて）

夕食　炭水化物を控えたんぱく質を中心に。できるだけ自炊で！

＜夕食メニューの例＞

・ オリーブオイルでグリルした魚に、ガーリック風味の軽く炒めた野菜のつけあわせ。蒸した玄米を添えて

・ ケイジャン・チキンにアボカドとライム&チリのサルサを添えて。グリーンの野菜各種のサラダ、サツマイモとクスクス

・ 全粒粉やコーン、米粉のパスタに、トマトと野菜のソースで。ミックスサラダを添えて

・ メカジキをハーブでグリル、クスクスかキヌアを添えて。グリルした野菜かサラダと一緒に

・ 鯛の焼き魚を、スパイシーなサルサソースと一緒に。蒸しほうれん草にオリーブオイルをたらして。ミックスグリーンサラダに、アボカドを少しだけ添えて

・ グリルサーモンの味噌風味（p 156 参照）、サツマイモのマッシュポテトと軽く炒めた野菜を添えて

・ 野菜と豆腐をのさっと炒め（p 156 参照）、ミックスグリーンサラダに、アボカドを少しだけ添えて。玄米かライスヌードルと

食事の基本とメニュー例

ほっそり美人プレートの黄金比

健康的にやせるには、毎回の食事メニューに「たっぷりの良質のたんぱく質」、「低GIの野菜と穀類（炭水化物）」、「良質の油」の3つを組み込むこと。血糖値バランスを保つため、インスリン値の急上昇を防ぎ、また体脂肪も燃やす黄金バランスです。体重を安定させ、減量効果も期待できます。また、きちんと食べるので気力も保て、長時間満足感が続きます。

3つのバランスと適量は、食事をワンプレートの盛り合わせとして考えると簡単！　お皿の1／3に、「手のひらの大きさと厚さ」のたんぱく質。2／3は低GIの野菜と穀類（炭水化物）を。たとえば、アスパラガス、ブロッコリー、ほうれん草、ズッキーニ、玄米やレンズ豆など。そして良質のナッツやオリーブオイルを少々添えれば、美人プレートが完成よ！

【朝食】少しでも、必ずとる！ 血糖値を維持しつつ、インスリン値を低く保つ

＜朝食メニューの例＞

・ ナチュラル・ミューズリーとフルーツのトッピングに、豆乳をかけて

・ ほうれん草ときのこのオムレツに、お好みのフレッシュハーブを添えて。フルーツを数切れ

・ 3／4カップのナチュラルプレーンヨーグルトを、お好きなフルーツ、粗みじんのナッツ（クルミなど）と一緒に。はちみつを少々かけて

・ 3／4カップの押しオーツ（麦）のおかゆに、大さじ2杯の粗みじんアーモンドやクルミをトッピング。ブルーベリー、豆乳と一緒に

・ 全粒粉かライ麦のパン1切れに、マッシュしたアボカド半分をのせ、オリーブオイルを少々たらして

Tuesday 火曜日

朝食

・全粒粉の押しオーツ（麦）のおかゆ（p 155 参照）　・カプチーノ

ランチ …カフェで外食

・ニース風サラダ（ツナ、豆、卵、レタス、じゃがいも、オリーブなど）

・パンプキンスープ　1杯　・ダーク・ビターチョコレート　2つ

間食

・洋ナシ　1 つ　・いれたての緑茶　・おまんじゅう

夕食

・グリルサーモンの味噌風味（p 156 参照）

・サツマイモのマッシュポテト、ロメインレタスのグリーンサラダ

・赤ワイン　1 杯　・ヨーグルト少々

Wednesday 水曜日

朝食

・ララバー（ピーカンパイ　p 158 参照）1 本　・カプチーノ

ランチ

・たっぷりのスーパー美人サラダ（p 154 参照）

間食

・アーモンド　大さじ2杯　・作りたて野菜ジュース　1 杯

夕食 …イタリアンレストランで外食

・旬の野菜のグリル

・海老とバジルソースのスパゲッティ

・焼き魚（鯛）にロケットと削りパルメザンチーズを添えて

・新鮮なベリー類とジェラート

・オレンジジュース割りスパークリング・ワインと赤ワイン 1 杯

Beauty diet

エリカの1週間 食生活とライフスタイルを大公開!

48時間で±0になればOKよ!


毎日のタイムスケジュールは、なるべく規則正しく、が目標です。7時半ごろに起き、昼食は 12 時半ごろ、夕食は 19 時ごろまでに済ませ、寝るのは 23 時半が目安です。

起きたら毎日、プログリーンズ（p 159 参照）という青汁パウダーを、100%リンゴジュースとミネラルウォーター（1：1）で割った**「グリーンカクテル」**か、室温のお水 1 杯にレモンを絞ったものを飲みます。

それから**平日は毎日、15 ～ 30 分がエクササイズタイム。**メニューは日によって違いますが、DVDを見ながらヨガ、コアリズム、太陽の光を浴びながらお散歩、最近注目のインターバルトレーニング（「2、3分走って2、3分歩く」を交互に繰り返す運動法）や、手に軽めのウエイトをつけたトランポリンエクササイズなどを楽しんでいます。

週の後半には、**寝る前の 30 分間をリラクゼーションの時間に。**ヒーリングCDを聞いて、心身ともにリラックスしています。

でもやっぱり仕事や執筆が忙しかったり、親しい友人と会ったり、海外出張、チャリティディナーパーティなど、食生活も生活リズムもすべてはこの通りには行かないのが常。だから食べすぎた次の日は、控えてバランスをとる「48 時間でプラスマイナスゼロ」を心がけています。

Monday 月曜日

朝食

・ベリーとナッツ入りヨーグルト　　・カプチーノ

ランチ …和食屋さんで外食

・焼き魚定食　（サバ、小さなサラダ、玄米と白米をミックスしたご飯、味噌汁）

間食

・りんご半分（サンふじ）　　・ローストアーモンド　一握り弱

夕食

・レンズ豆と野菜たっぷりのスープ（p 155 参照）
・全粒ライ麦パン　1 切れ　　・ナツメヤシ　2つ

Saturday 土曜日

朝食

・きのことほうれん草、フレッシュハーブのオムレツ
・全粒粉かライ麦パンのトースト　1切れ　　・りんご半分（サンふじ）
・カプチーノ

ランチ

・スーパー美人サラダ　　・デーツ（アーモンドをつめて）

間食

・ハーブティー　　・ボラボラ・オーガニック・スナックバー（p 158 参照）　クランベリー・クランチ

夕食　…近所のお気に入りのバーで

・空芯菜のエスニック炒め　　・魚のカルパッチョ（フレッシュハーブを添えて）
・マグロのサイコロステーキ（スパイシーソースで）
・エリカ特製カクテル（ウォッカ、クランベリージュース、オレンジジュース、ライム）

Sunday 日曜日

朝食

・そば粉と玄米粉のパンケーキ　　・カプチーノ

ランチ

・パンプキンのスープ（マカダミアナッツを添えて）
・緑の葉物野菜のサラダにアボカドと松の実ローストをパラパラとかけたもの

間食

・アプリコットのドライフルーツとアーモンドロースト　6粒

夕食

・野菜と豆腐のさっと炒め（p 156 参照）
・玄米ご飯　半膳
・りんご　数切れ（アーモンドクリームを塗って）

Thursday 木曜日

朝食

・ミューズリーにすりりんごとバニラ風味の豆乳　・カプチーノ

ランチ …おそばやさんで外食

・山菜そば

間食

・ブルーベリースムージー

夕食

・グリルしたホタテに、アボカド・サルサ（p 154 参照）を添えて

・緑黄色野菜のサラダ　・クスクス　半カップ

・ダーク・ビタースウィート・チョコレート　2つ

Friday 金曜日

朝食

・全粒粉ライ麦パンに、アボカドを半分、マッシュして塗って。オリーブオイル少々と

・ポーチド・エッグ　1つ　・メロン　2切れ　・いれたての緑茶　・カプチーノ

ランチ

・たっぷりの蒸した野菜にアラスカ産天然サーモンの缶詰（小）を添えて

・キヌア　半カップ　・ダーク・ビタースウィート・チョコレート　2つ

間食

・りんごのスライスに、自然食品のピーナッツバター（砂糖不使用タイプ）をぬって

夕食 …和食の居酒屋風レストランで

・枝豆　・鶏肉と黒ゴマのサラダ　・冷奴　・焼き鳥（つくね、ネギマなど各種）

・グリル野菜各種　・韓国風野菜　・まぐろの刺身　・そば

・梅酒のソーダ割り　・ベリーのフローズンヨーグルト

美女の味方！「スーパー美人サラダ」

お気の向くまま、存分にクリエイティブな感性を発揮して！ 色とりどりの野菜をたくさん入れればできあがりです。

材料（2人分）

ほうれん草 … 1カップ（一口サイズにちぎって）
ロメインレタス … 1カップ
赤キャベツ … ¼ カップ（千切り）
にんじん … ½ カップ（すりおろして）
赤ピーマン … ½ カップ（刻んで）
トマト … ½ カップ（刻んで）
ひよこ豆 … ¼ カップ（缶詰のものはよく洗って）
アボカド … ¼ カップ（角切り）
エクストラバージン・オリーブオイル … 大さじ2
バルサミコ酢 … 大さじ1
お好みのフレッシュハーブ … 一握り
ローストしたナッツか種子 … 大さじ2
（例：カボチャの種、クルミ、アーモンド）
塩・こしょう … 少々

作り方

ほうれん草、ロメインレタス、赤キャベツ、にんじん、赤ピーマン、トマト、ひよこ豆、アボカドを食べやすい大きさに切って、サラダボウルに。ひよこ豆の代わりのたんぱく質として、天然鮭の缶詰もおすすめです。
オリーブオイルとバルサミコ酢をあわせ、ドレッシングを作っておきます。
食べる直前にドレッシングでさっと和え、お好みのハーブやナッツを上から散らし、召し上がれ！

食べる美容液「アボカド・サルサ」

アボカドに含まれるオメガ9が肌をふっくらと柔らかくするわ。

材料（2人分）

アボカド … ½（小さめの角切り）
オーガニックのトマト（大） … 1つ
カラマタオリーブ（ギリシャ産の黒オリーブ）
… 8〜10粒（種をとってみじん切り）
にんにく … 1片（つぶして）
フレッシュバジル … 大さじ1（みじん切り）
チャイブ … 大さじ1（みじん切り）
エクストラバージン・オリーブオイル … 大さじ1
ケッパー … 大さじ1
レモン汁 … 大さじ1
挽き立ての塩・こしょう … 少々

作り方

小さめのボウルに材料をすべてあわせ、塩・こしょうで味付けをします。冷蔵庫で少し冷やしたら、できあがり。

Recipe レシピ

免疫力アップ！「レンズ豆と野菜たっぷりのスープ」

腹もちがよくて満足感のある一品です。分量を半分にしてもいいですし、または全量作って半分は冷凍にしてもいいですよ。

材料（8皿分）

オリーブオイル … 大さじ2
玉ねぎ（大）… 1つ
にんじん … 3本
さつまいも … 1本
セロリ（茎）… 2本
にんにく … 3、4片
トマトをつぶしたもの … 400g
キャベツ … 1、2カップ
レンズ豆 … 2カップ
じゃがいも … 2つ
天然海塩 … 大さじ ½
水 … 8カップ
ドライバジル … 大さじ1
挽いたクミン … 大さじ1

作り方

① 鍋にオリーブオイルを中火で熱し、刻んだ玉ねぎ、にんじん、さつまいも、セロリを入れ炒めます。

② 玉ねぎがしんなりしてきたら、つぶしたにんにくを入れ、色づいてきたらクミンとバジルを追加。トマトを汁ごと入れ、レンズ豆、角切りにしたじゃがいも、キャベツの千切り、塩と水を入れ、沸騰したら弱火にし、蓋をしてコトコトそのまま45分。

③ 召し上がる直前に、バルサミコ酢をさっとかけてもおいしくいただけます。

滋味豊かな「押しオーツおかゆ」

食物繊維がたっぷりなオーツ（麦）。血糖値の急激な上昇を防ぎ、ココロもお腹も満足させてくれます。

材料（1人分）

水 … 1カップ（お好みで多めにしても OK）
伝統的な押しオーツ … ½ カップ
塩 … 少々
（お好みで）
レーズンなどのドライフルーツ
シナモンやオールスパイス … 少々

作り方

鍋に水、押しオーツ、塩、お好みのトッピングを加え、火にかけます。沸騰したら火を弱め、数分コトコト煮ます。フレッシュフルーツやナッツなどをお好みで添えて、さぁ召し上がれ（できあがったらすぐ食べてくださいね）。

ヘルシーで美味! 「野菜と豆腐のさっと炒め」

豆腐は海外でも人気の美容食。たんぱく質とビタミンがたっぷりとれる一品。

材料 (4人分)

豆腐 … (1丁をよく水切りし2cm 大にカット)
タレ … (醤油 ½ カップ、レモン汁 ½ カップ、おろしたしょうが大さじ1)
ゴマ油かピーナッツオイル … 大さじ2
カリフラワー … ½
ブロッコリー … 1 房
にんじん … 2本
玉ねぎ … 1つ
ピーマン (何色でも OK) … 2つ
さやえんどう … 1カップ
キノコ … 1カップ
わけぎ … 3本

作り方

① タレの材料を合わせ、バットに豆腐を1時間つけておきます。

② 中華鍋かフライパンに油をしき、カリフラワー、ブロッコリー、にんじん、玉ねぎ、ピーマンを強火で炒め、豆腐を加えます。さやえんどう、キノコ、わけぎ、タレの残り汁を加え、さらに2、3分炒めます。

③ 野菜にシャキシャキ感が残るあたりで火を止め、ご飯と一緒にいただきます。

美肌食! 「グリルサーモンの味噌風味」

サーモンを1週間に数回食べると、肌への素晴らしいアンチエイジング効果が見られるわ。

材料 (4人分)

みりん … ½ カップ
フレッシュチャイブまたは青ネギ … 大さじ 2
白味噌 … 大さじ1
たまり醤油 (小麦使用ゼロの大豆製醤油) … 大さじ1
タヒニ (胡麻ペースト) … 大さじ1
しょうが … 大さじ1 (みじん切り)
サーモン切り身 … 4切れ (皮はとります)
コリアンダー … 大さじ2
煎りゴマ … 大さじ1

作り方

① バットにみりん、チャイブ、白味噌、たまり醤油、タヒニとしょうがをあわせタレを作り、サーモンを漬け込みます。ラップをして冷蔵庫で1、2時間。ときどきサーモンをひっくり返します。

② 熱したグリルかフライパンに、タレをふきとったサーモンをおき、焼き色がついたらできあがり (タレは焦げるので、ふきとってくださいね)。焼き時間の目安は片面約4分。

③ コリアンダーや煎りゴマなどをふりかけ、あつあつのうちに召し上がれ。

Beauty diet

美女になる油のとり方

艶めく美肌には良質の油をとることが大事。バラのように輝く肌に絶対欠かせないものです。しっとりと潤った明るい顔色になるには、油抜きダイエットは完全アウト。体に悪い油脂だけ控えて。そして、「低温圧搾」を選ぶことも油の大切なポイントよ。

もっと食べるべき!

オメガ3

必須脂肪酸。できるだけ摂取したい脂肪酸。EPA、DHA、アルファ・リノレン酸などが代表的。

主な食材

・サーモン、マグロ、イワシ、サバ、ブリ、サンマなど　・亜麻仁油　・大豆製品(豆腐など)　・クルミ　・ケール　・ほうれん草　・からし菜

良質なものをとりいれて

オメガ9

必須ではないけれど、たっぷりとることをおすすめします。悪玉コレステロールを減らし、善玉コレステロールを増やします。また艶めく美肌のためにも。オレイン酸が代表的。

主な食材

・オリーブオイル　・アボカド　・アーモンド　・ゴマ油　・アサイー（ブラジル産のフルーツ)　・ピーカンナッツ　・ピスタチオ　・カシューナッツ　・ヘーゼルナッツ　・マカダミアナッツ

量を減らして

オメガ6

必須脂肪酸ですが、現代人は摂取過剰なので、減らした方がいいもの。リノール酸が代表的。

主な食材

● 避けたほうがいいもの

・精製植物油(サンフラワーオイル、べにばな油、大豆油、コーン油、綿実油、サラダオイル、市販されている多くのサラダドレッシング)

● おすすめのもの

・亜麻仁油　・麻実油　・グレープシード油　・ゴマ油　・カボチャの種　・松の実　・月見草オイル　・ピスタチオナッツ　・ひまわりの種　・アサイー

美容の大敵、極力避けて!

トランス脂肪酸

細胞にダメージを与えるので過剰摂取は老化や病気の原因にも。

主な食材

・マーガリン　・ショートニング　・揚げ物　・スナック菓子　・焼き菓子　・加工食品（デリ)　・栄養補助バー　・ジャンクフード

Healthy snack ヘルシー&ハッピーな間食を！

◆ ララバー（スティック状栄養補助食品）

これもファイナリストたちのマストアイテム。バータイプの栄養補助食品は日本にもいろいろありますが、栄養的にはあまりおすすめできないものも。ララバーは私が試した中で一番栄養価が高く、とてもおいしいもの！　フルーツとナッツ、ただそれだけで、身体によくない原料を一切使っていないの。アップルパイ、チェリーパイなど味もいろいろ。チョコレートバーのチョコは、オーガニックのものを使用する徹底ぶりで、信頼がおけるブランドです。カロリーは一本約190kcal です。日本の小売店で買うよりも、アメリカのサイトからオーダーした方がずっとお安いですよ。

◆ ボラボラ・オーガニック・スナックバー（スティック状栄養補助食品）

ララバーとは異なるブランドだけれど、こちらもすごくおいしくてヘルシー！

|購入先|

紹介した商品は、「ベジパワープラス」以外は、オンラインサイト「アイ・ハーブ」で購入可能。ナチュラルで良質な製品を数多く取り扱っています。日本語で注文できます。「ベジパワープラス」はアビオス社のホームページで。

○ アイ・ハーブ

http://www.iherb.com/ja/

1 週間メニューやダイエットレシピで出てきた食品の、全粒のオーツ（麦）やピーナッツバター、バニラ風味の豆乳などは、こちらで購入できます。

○ テング・ナチュラル・フーズ

http://www.alishan.jp/shop/nfoscomm/catalog/index.php?language=jp

Beauty diet
サプリメントとおすすめ食品

美容と健康のために私がいつもとっていて、みなさんにもおすすめするサプリメントと、間食におすすめのスナックを、入手先とともにご紹介します。

Supplement サプリメント

◆オメガ3（EPA & DHA）魚油サプリメント

ノルディック・ナチュラルズ社製

手軽に摂取できるのでサプリでとるのがおすすめなオメガ3。購入する際に必ずチェックしたいのは、清浄なところで獲れた魚が原料であること。そして分子蒸留と呼ばれるプロセスを経ていること。海水汚染による水銀等の重金属や毒素などの混入リスクが低減し、蒸留のプロセスで確実に除去されます。ノルディック・ナチュラルズはその点で安心な高品質ブランド。味もよく、「お魚くさい」ということもありません。

◆マルチビタミン&ミネラルサプリメント

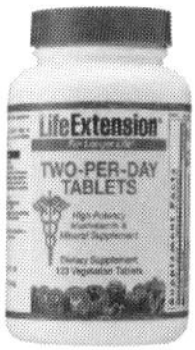

ライフ・エクステンション社製

このマルチサプリメントは、1日2錠でしっかり栄養補給ができるのがうれしいところ。品質、効能ともに高く、お買得価格もポイントです。

◆「青汁」プログリーンズ

アレルギー・リサーチ・グループ社製

数多くの青汁を試しましたが、これがなんといっても一番おいしい！抹茶味で飲みやすく栄養的にも素晴らしいバランス。「プロバイオティック」と呼ばれる、消化器官にいい働きをするバクテリアがたくさん入っています。

Beauty diet

外食のGOOD or NG チェックリスト

Good

料理のジャンル

・和食（鍋物、焼き鳥、すし、刺身、そば、京料理、懐石など）
・トマトベースのイタリアンやフランス料理　・地中海料理（スペイン料理など）
・中東料理　・モダン・フュージョン・スタイル
・アジア料理（タイ、ベトナムなど）

食材

・メインは魚、皮をとった鶏肉、赤身の肉、豆腐などの豆製品、卵
・野菜はなんでも。できるだけ低GI値のもの
・ドレッシングは、オリーブオイルにレモンを絞っただけというようなシンプルなもの
・主食は精製されていないもの、全粒粉。例えば、全粒パン、全粒パスタ、玄米
・パスタはクリームベースよりトマトベース
・デザートは低カロリーで脂肪分の少ないもの。シャーベット、ジェラート、イチゴやブルーベリーなど新鮮なベリー類のフルーツなど

調理法

グリル（焼き鳥のように焼いて油を落としたもの）、ロースト（じっくりとグリルしたもの）、蒸し料理、ゆでたり、軽く炒めたりしたもの

食べ方

・食前にレモンやライムを絞った水を飲む
・白いパンを食べるときはオリーブオイルをつけて食べる
・精製された炭水化物をとるときは、酢を一緒に
・最初に野菜から食べる　・とにかくよく噛む

NG

・ファストフードはすべて。とくにフライドポテト、ポテトチップスなど
・白米や精白された麺類
・とんかつや天ぷら
・フレンチやイタリアンのクリームやヘビーなバターのソース
・マヨネーズの入ったソース
・照り焼きなど砂糖使用のソース
・化学調味料
・ソフトドリンク

Beauty diet

ヘルシーな間食　ストックリスト

今すぐストック

・ローストアーモンド（無塩、油不使用、添加物のないもの）
・ダーク・ビタースウィート・チョコレート　（カカオ 70%以上）
・ララバー（p158 参照）
・枝豆
・フレッシュな果物（りんごや洋ナシなど）
・ドライフルーツ（アプリコットやいちじく、ナツメヤシ、プルーンなど）
・お手製のミックスナッツ
（アーモンド、クルミ、カボチャの種、ひまわりの種、ココナッツフレーク、オーガニックレーズンをミックス。一回大さじ2杯ほど）
・焼き芋

NG（極力控えて）

・キャンディ
・甘いスナック菓子やアイスクリーム
・ポテトチップス
・清涼飲料水（コーラ、スポーツドリンク、コーヒー飲料、果汁 100%以外のジュース）
・その他マーガリンやショートニングなどトランス脂肪が入ったものすべて

これらは糖類や精製した炭水化物のかたまり。急激に血糖値を上げ、一瞬だけ元気が出る気がするけれど、すぐに血糖値が下がる食べ物なので、食後疲労感を感じたり、ダルくなったりするだけです。

ブックデザイン … 原てるみ（mill design studio）

撮影 … 菊岡俊子

構成 … 関美奈子

資料翻訳・取材協力 … 小林友紀子

編集 … 竹村優子（幻冬舎）

著者略歴

エリカ・アンギャル　Erica Angyal

ミス・ユニバース・ジャパン（MUJ）公式栄養コンサルタント。2004年以来、知花くららや森理世らファイナリストたちへ栄養指導を行なっている。美と健康をコンセプトに、〈内面からより美しく、健やかに輝く〉食とライフスタイルを発信。オーストラリア・シドニー生まれ。シドニー工科大学卒、健康衛生科学学士。ネイチャーケアカレッジ卒、栄養士。オーストラリア伝統的医薬学会（ATMS）会員。日本在住歴は12年になる。英語での著書 "Gorgeous Skin in 30 Days"、"Gorgeous Skin for Teens"、日本語での著書に『"世界一美しい" A型美女になる方法』（主婦と生活社）がある。

世界一の美女になるダイエット

2009年 4 月25日 第 1 刷発行
2012年 5 月30日 第20刷発行

著　者　エリカ・アンギャル

発行者　見城 徹

発行所　株式会社 幻冬舎
〒151-0051 東京都渋谷区千駄ヶ谷 4-9-7
電話：03-5411-6211（編集）　03-5411-6222（営業）
振替：00120-8-767643

印刷・製本所　株式会社 光邦

検印廃止

ISBN978-4-344-01664-4　C0095
幻冬舎ホームページアドレス http://www.gentosha.co.jp/

この本に関するご意見・ご感想をメールでお寄せいただく場合は、comment@gentosha.co.jp まで。